ÎLE DES CHEVALIERS

MAISON DES
DRESSEURS

GROTTE

FORÊT
PÉTRIFIÉE

PORT

PHARE

JETÉE

Texte de Geronimo Stilton.
Basé sur une idée originale d'Elisabetta Dami.
Collaboration éditoriale de Michela Monticelli.
Coordination éditoriale de Patrizia Puricelli.
Édition de Daniela Finistauri et Viviana Donella.
Rédaction et mise en pages de Elàstico, Milan.
Coordination artistique de Tommaso Valsecchi.
Illustrations de couverture de Iacopo Bruno.
Illustrations intérieures de Danilo Barozzi.
Thème du roman graphique de Tommaso Valsecchi.
Illustrations du roman graphique de Stefano Turconi.
Carte de Carlotta Casalino.
Graphisme de Michela Battaglin.
Traduction de Jean-Claude Béhar.

www.geronimostilton.com

Pour l'édition originale :
© 2010, Edizioni Piemme S.p.A. – Corso Como, 15 – 20154 Milan, Italie
sous le titre Cronache del Regno della Fantasia 6 – Il segreto dei cavalieri
International rights © Atlantyca S.p.A. – Via Leopardi, 8 – 20123 Milan, Italie
www.atlantyca.com – contact : foreignrights@atlantyca.it
Pour l'édition française :
© 2013, Albin Michel Jeunesse – 22, rue Huyghens, 75014 Paris – www.albin-michel.fr
Loi n° 49-956 du 16 juillet 1949 sur les publications destinées à la jeunesse
Dépôt légal : premier semestre 2013
Numéro d'édition : 20526
ISBN-13 : 978-2-226-24762-9
Imprimé en France par Normandie Roto Impression s.a.s. et SIO
Numéro d'impression : 131822

Stilton est le nom d'un célèbre fromage anglais. C'est une marque déposée de Stilton Cheese Makers' Association. Pour plus d'informations, vous pouvez consulter le site www.stiltoncheese.com

Geronimo Stilton

Chroniques des Mondes Magiques

LE SECRET DES CHEVALIERS

ALBIN MICHEL JEUNESSE

Personnages principaux

OMBRAGE
Jeune et courageux Elfe des Forêts qui, à la demande de la Reine des Fées, entreprend d'aller combattre l'Obscur Pouvoir de la Reine Noire et de rétablir la paix au royaume de la Fantaisie.

SPICA
Sœur de Regulus, cette vaillante Elfe Étoilée quitte son royaume pour aider Ombrage dans sa mission. Elle se bat avec un arc magique.

REGULUS
Elfe Étoilé, frère de Spica et meilleur ami d'Ombrage. Il a décidé d'accompagner l'Elfe des Forêts pour lutter à ses côtés.

ROBINIA
Elfe des Forêts, fière et têtue,
elle est l'héritière légitime du trône
du royaume des Forêts. Après
la libération de son peuple, elle s'est
unie à Ombrage pour délivrer
les autres royaumes perdus.

SOUFRETIN
Petit Dragon à plumes
du royaume des Forêts,
inséparable compagnon
de Robinia.

ERIDANUS
Père de Regulus et de Spica.
C'est l'astronome de la Cour
du royaume des Étoiles.

CŒURTENACE
Un des anciens Chevaliers de la Rose,
valeureux défenseurs du royaume de la
Fantaisie, qui aide Ombrage dans sa mission.
Au cours de leurs aventures, Ombrage
a découvert que Cœurtenace était son père.

ÉTINCELLE
Originaire du royaume des
Nains Gris, cette jeune Naine a
fui le royaume des Sorcières où
elle était retenue prisonnière.
Un sortilège lui avait donné
l'apparence d'une oie.

STELLARIUS
Puissant mage du royaume
de la Fantaisie qui, depuis
toujours, combat l'Obscur
Pouvoir et la Reine Noire.

FLORIDIANA
C'est la Reine des Fées. Elle lutte
contre le pouvoir maléfique
des Sorcières et pour maintenir
la paix au royaume de la Fantaisie.
Grâce à l'Anneau de Lumière,
elle communique avec Ombrage
et le conseille dans sa mission.

SORCIA
C'est la perfide Reine des Sorcières.
Elle obtint le pouvoir après avoir
empoisonné la reine en place.
Son seul désir est de vaincre
la Reine des Fées et de conquérir
tout le royaume de la Fantaisie.

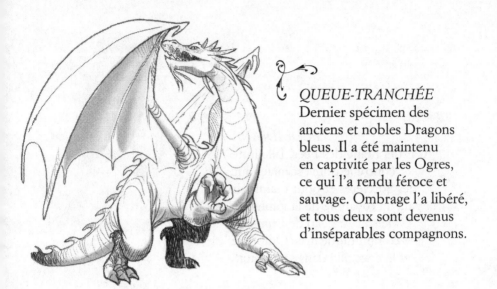

QUEUE-TRANCHÉE
Dernier spécimen des anciens et nobles Dragons bleus. Il a été maintenu en captivité par les Ogres, ce qui l'a rendu féroce et sauvage. Ombrage l'a libéré, et tous deux sont devenus d'inséparables compagnons.

MÉROPE
Nourrice de Regulus et Spica qui a élevé les deux jeunes gens après la mort de leur mère.

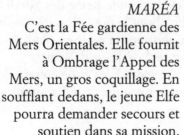

MARÉA
C'est la Fée gardienne des Mers Orientales. Elle fournit à Ombrage l'Appel des Mers, un gros coquillage. En soufflant dedans, le jeune Elfe pourra demander secours et soutien dans sa mission.

CAPENOIRE
Commandant des Capes
Noires qui protègent le village
des Elfes Noirs.

ALTIÈRE
Elfe courageuse au
caractère résolu, qui
avec Capenoire occupe
la fonction de Conseillère
au sein de l'Assemblée
des Elfes Noirs.

VÉRIDIQUE
Vieil Elfe savant qui
assume la charge de Sage
au sein de l'Assemblée
des Elfes Noirs.

« Depuis des temps immémoriaux
l'île des Chevaliers attendait
que des âmes valeureuses brisent les chaînes
de pierre de sa prison.
Trois héros envoyés par la Reine des Fées avaient
sillonné le ciel pour accomplir cette mission :
rendre leur île aux Chevaliers de la Rose,
et ses plus courageux guerriers
au royaume de la Fantaisie.
De noires tempêtes enveloppaient cette
terre antique, secouée par de sombres tremblements,
et des présages de mort menaçaient Ombrage
l'audacieux, la généreuse Spica aux yeux couleur
de ciel, et le puissant Dragon Queue-Tranchée
au rugissement de tonnerre.
Bientôt l'île verrait son destin s'accomplir
pour renaître plus forte, grâce à un jeune chevalier
prêt à ouvrir une nouvelle voie.
Mais de furtives traînées d'argent striaient la mer ;
les forces maléfiques devaient encore être dominées. »

Mage Fabulus, *Chroniques du royaume
de la Fantaisie*, introduction au Livre Sixième.

INTRODUCTION

Voici une histoire des temps anciens, des temps suspendus entre ténèbres et lumière. En ces temps, les mille et un royaumes du monde de la Fantaisie luttaient pour renaître après la longue et ténébreuse domination de la Reine des Sorcières.

Ce fut à l'aube de cette époque de liberté retrouvée que Floridiana, la Reine des Fées, demanda au jeune Ombrage de partir de nouveau. Grâce à lui, Sorcia avait été vaincue, et les Sorcières s'étaient dispersées dans les terres les plus reculées du royaume, mais sa mission n'était pas terminée : certains êtres demeuraient prisonniers et ne pouvaient lutter.

Les Chevaliers de la Rose, les valeureux alliés des Fées, étaient soumis à un puissant sortilège qui les avait transformés en pierre et condamnés à une horrible solitude sur leur île, au beau milieu des Mers Orientales. D'autre part, Cœurtenace, le père d'Ombrage, s'était sacrifié en subissant à la place de Spica le pouvoir pétrifiant de l'Anneau de Lumière invoqué par Sorcia.

Ombrage avait immédiatement répondu à l'appel de Floridiana. Et Spica, jeune Elfe courageuse, avait suivi son ami sur le dos de Queue-Tranchée, leur plus fidèle compagnon.

Au cours de leur voyage vers l'île des Chevaliers, les deux jeunes héros parvinrent à libérer la Fée Aile-blanche, et à défaire de redoutables pirates. Finalement, grâce à l'aide de la Fée Maréa, ils avaient atteint l'île et découvert l'antique Bouclier des Chevaliers, symbole de l'alliance avec les Fées, sous lequel la terre avait surgi de la mer pour sauver le Premier Chevalier. C'est la destruction de ce Bouclier, brisé par la trahison d'Hautemer, Général Suprême des Chevaliers, qui offrit l'île aux Sorcières. Et c'est ce même Bouclier qu'il fallait reconstituer pour redonner vie à cette terre antique et à ses chevaliers.

Après avoir affronté les terribles serpents marins, Ombrage et Spica déchiffrèrent les images et les symboles, et réussirent à recomposer une partie du Bouclier. Mais il leur manquait encore un fragment... le dernier, le plus difficile à trouver.

Dans ces pages, vous découvrirez quel fut le destin

INTRODUCTION

de l'audacieux Ombrage et de la jeune Spica. Et vous apprendrez aussi comment les Chevaliers de la Rose devinrent les Chevaliers de la Rose d'Argent, qui, aujourd'hui encore, protègent le royaume de la Fantaisie. Mais je ne veux pas trop vous en dire.

Si vous voulez savoir ce qui arriva…

Écoutez donc…

PREMIÈRE PARTIE

. ∾ .

L'ÎLE MYSTÉRIEUSE

1

UN NOUVEAU JOUR

L a nuit était profonde. La faible lueur des étoiles du ciel d'Orient filtrait à travers les nuages, mais l'île des Chevaliers était encore enveloppée par l'obscurité de la tempête. Par instants, la foudre illuminait l'océan, révélant les contours des rochers. Le vent giflait l'île d'un hululement rageur, frappant les roches comme pour les emporter.

Ombrage et Spica étaient à l'abri dans la petite cabane, sur la falaise où Queue-Tranchée les avait déposés avant de s'envoler au cœur de la tempête, obéissant aux arcanes mystérieux de son instinct. Malgré le fracas du tonnerre, la jeune Elfe dormait enveloppée dans une couverture, tandis qu'Ombrage, debout devant la fenêtre, plongé dans ses pensées, fixait l'horizon.

Il attendait.

Depuis trois jours, la tempête se déchaînait, et ils étaient bloqués là. La pluie et le vent semblaient être les seules réponses à l'Appel des Mers, le coquillage magique que les jeunes gens avaient reçu des mains de Maréa, la Fée protectrice de ces eaux inhospitalières. L'Appel aurait dû leur indiquer la voie jusqu'au troisième et dernier fragment du Bouclier des Chevaliers, mais dès qu'Ombrage avait soufflé dedans, une terrible tourmente avait bouleversé l'océan ; la solution devait donc se trouver parmi ces vagues impétueuses. Pourtant, le jeune Elfe ne parvenait pas à l'entrevoir. L'air et l'eau rugissaient avec une telle violence qu'ils semblaient vouloir pulvériser la maisonnette où Spica et Ombrage s'étaient réfugiés.

Attendre le retour de Queue-Tranchée devenait insupportable : le jeune Elfe sentait le temps s'écouler inexorablement, et il ne réussissait pas à calmer son anxiété. Depuis qu'ils avaient replacé les deux premiers fragments du Bouclier, les plantes étaient revenues à la vie, mais la terre tremblait encore sous leurs pieds, comme si une force cherchait à ébranler les fondements de l'île. De plus, leurs provisions de nourriture commençaient à s'épuiser. Et surtout, le jeune Elfe était inquiet pour Queue-Tranchée.

– Où penses-tu qu'il soit allé ? demanda la voix ensommeillée de Spica.

– Je n'en ai aucune idée, répondit-il, la mine sombre, les yeux toujours tournés vers la mer. Mais je suis sûr qu'il reviendra.

Il en était réellement certain, et en même temps il avait peur. Quand il essayait d'établir un contact mental avec le Dragon, il percevait son esprit enveloppé par le vent et l'obscurité. Il était alors envahi par une grande euphorie, mêlée à de l'angoisse – les sensations que Queue-Tranchée devait éprouver.

Spica frotta la Pierre de Flamme offerte par la Fée Aileblanche, protectrice de la Cité sur les Eaux, pour les remercier d'avoir libéré son peuple de la Sorcière Craméria. Aussitôt un feu enchanté apparut. La chaude lumière de la flamme, agitée par les courants d'air glacés qui s'insinuaient par les fissures de la cabane, faisait cruellement ressentir à Ombrage la distance qui le séparait de son fidèle Dragon.

– J'espère seulement qu'il n'est pas en danger. Une atmosphère maléfique hante ces lieux, soupira l'Elfe en plissant le front.

Un éclair illumina l'océan et, au même instant, l'étoile du jeune Elfe brilla d'une lumière soucieuse.

– Regarde là-bas, Spica… vois-tu quelque chose ?

Ombrage montra un point dans la noirceur de la nuit et ajouta :

– Depuis des heures, je regarde vers le nord-est. Il semble que les foudres tombent toujours au même endroit, comme si elles y étaient attirées…

Elle plissa les yeux pour scruter dans cette direction, mais dans cette obscurité il lui était impossible de distinguer quoi que ce soit.

Tout à coup, un, deux, trois éclairs déchirèrent le ciel, et une ombre se dessina un bref instant au-dessus des ondes déchaînées.

Une ombre noire et majestueuse.

Spica poussa une exclamation de surprise.

– L'as-tu vue ? lui demanda Ombrage avec un sourire.

Elle acquiesça en s'approchant de la fenêtre, dans l'espoir que d'autres éclairs révèlent de nouveau cette présence.

– On aurait dit… une montagne ! murmura Spica au comble de l'émerveillement. Mais je ne comprends pas ! Nous n'avons rien aperçu dans les environs de l'île lors de notre arrivée.

– Je sais. Voilà pourquoi je suis convaincu que cette tempête est une aide envoyée par Maréa. Elle a entendu l'Appel des Mers et elle nous montre notre prochaine étape, l'endroit où nous devrons chercher le troisième fragment du Bouclier, sourit Ombrage. Cette montagne est peut-être la « pierre » évoquée par mon père dans son journal. Te souviens-tu de ce qu'il écrivait ? « J'espère que le secret des Chevaliers est protégé par la pierre. »

Spica fixait la masse noire illuminée de manière intermittente par les éclairs : il lui semblait que les foudres étaient de longs doigts noueux qui se tendaient pour leur désigner cette île mystérieuse.

– Ton père parlait d'un «secret», or cette île était dissimulée, sinon les Sorcières l'auraient découverte. Nous-mêmes ne l'avons pas vue avant cette tempête.

Le ciel commençait à s'éclaircir et la pluie diminuait. D'ici peu ils pourraient sortir de leur refuge.

Ombrage était à la fois impatient et anxieux. Pour trouver le premier fragment, il avait pu compter sur les indications du journal de son père et sur l'Anneau de Lumière qu'il portait à son doigt. Puis Maréa les avait aidés à dénicher le deuxième. Mais la recherche de ce dernier fragment serait la plus ardue, ainsi que Floridiana le lui avait prédit en rêve. Et la réussite de la mission ne dépendait que de lui.

Le cœur plein de doutes, le jeune Elfe se remit à contempler le ballet des nuages noirs qui pâlissaient et s'effilochaient, poussés par les vents, laissant place à la délicate clarté de l'aube.

Le matin inonda l'île et la Citadelle des Chevaliers d'une lumière dorée, faisant scintiller les pierres humides, tandis qu'en contrebas, sur le village et la forêt, s'élevait une brume dense. En ouvrant la porte de la cabane des Dresseurs de Dragons, Ombrage et Spica éprouvèrent la sensation d'être suspendus au-dessus d'une étendue nuageuse d'une blancheur laiteuse. Plus loin, là où ils avaient aperçu l'île, dans l'air limpide, ils ne voyaient plus que l'azur infini de la mer.

– Mais… l'île n'est plus là ! s'exclama Spica, bouleversée.

– Nous ne pouvons pas l'avoir rêvée. Pas tous les deux, lui assura Ombrage. Il y a une terre là-bas. Elle est invisible, mais Maréa nous l'a montrée. À présent, nous devons trouver le moyen de l'atteindre.

Ce disant, il s'approcha de la jeune Elfe et lui tendit quelques biscuits secs. Puis il regarda en bas : le soleil et une légère brise dissipaient peu à peu la brume, révélant le vert manteau de la forêt. Un mince sourire se dessina sur les lèvres du chevalier.

– Il y a un vieux sentier qui descend vers la plage. Essayons de le suivre, suggéra-t-il.

Ils marchèrent jusqu'à la côte. À cet endroit, le chemin obliquait vers l'intérieur des terres et s'enfonçait dans la forêt, désormais sortie de son sommeil de pierre. Les arbres avaient résisté au souffle puissant de la tempête et, mis à part quelques branches cassées et des roches déplacées, le sentier était dégagé. Tout était demeuré immobile durant ces longues années. Le dernier jour dont se souvenait la forêt était un jour de guerre. Depuis, aucune plante n'avait poussé, aucune créature n'avait foulé sa terre.

À présent l'île revenait à la vie, mais elle était encore soumise au maléfice des Sorcières. Il fallait se tenir aux aguets : les serpents argentés pouvaient se nicher partout, et le danger menaçait sous chaque pierre.

2

LE CRI DE L'ÎLE

Le soleil, haut dans le ciel, resplendissait quand Ombrage et Spica sortirent de la pénombre de la forêt. Dans le village de pêcheurs, la vision des murs des maisons en ruines et des toits éventrés contrastait si cruellement avec la joyeuse lumière du jour que les jeunes gens en eurent le cœur serré.

Les plantes et les petits animaux se réveillaient de leur léthargie ensorcelée, mais les Elfes et les Dragons avaient encore l'apparence de statues grises, des expressions de rage ou d'épouvante cristallisées sur leurs visages de pierre. Les figures ruisselaient encore de la dernière pluie, donnant l'impression qu'elles pleuraient.

Spica posa tendrement la main sur la tête d'un petit Elfe et lui murmura :

– Ne crains rien, nous sommes là pour vous aider.

Seul le silence lui répondit.

– Spica ! la héla Ombrage, en lui faisant signe de le rejoindre.

La jeune Étoilée remarqua que son ami tenait sa main serrée sur la garde de Poison : son épée avait-elle frémi pour l'avertir d'un danger ?

– Quelque chose ne va pas ? s'inquiéta-t-elle en courant vers lui et en saisissant son arc.

– Je ne sais pas. Poison est nerveuse… il y a peut-être des serpents par ici. Mieux vaut rester ensemble.

Spica ressentit encore plus intensément l'absence de Queue-Tranchée.

– Où allons-nous ?

– Au ruisseau, pour remplir nos outres. Nous avons besoin d'eau, expliqua Ombrage en scrutant les ruelles, aux aguets. Ensuite nous retournerons à la Citadelle : nous y serons plus en sécurité, et Queue-Tranchée nous y retrouvera facilem…

Un grondement l'interrompit. Ombrage bondit de

côté, entraînant Spica derrière un mur, et demeura immobile, en alerte. Tout autour, les roches tressautèrent et des éboulis de pierraille glissèrent des murs en ruines : l'île semblait frissonner violemment, ébranlée par ce cri assourdissant.

– Les secousses deviennent de plus en plus fortes… murmura Spica.

Le jeune Elfe lui fit signe d'attendre, puis disparut derrière une maison. Après une brève inspection, il revint la chercher.

– Allons-y, dit-il.

Sans poser de questions, Spica le suivit à travers le dédale des habitations, jusqu'à ce qu'ils sortent du village par le nord. Ils atteignirent rapidement le ruisseau. Le jeune Elfe tendit une des outres à Spica, et ils firent provision d'eau fraîche.

– On aurait dit que l'île hurlait, dit Spica après un long silence, seulement troublé par le frémissement des feuilles et le bruit des vagues qui se fracassaient contre les rochers.

Tout autour, des goélands timides voletaient, jetant des coups d'œil méfiants avant de se poser.

– Cette fois-ci il m'a semblé entendre un rugissement de Dragon, répliqua le jeune Elfe.

– Queue-Tranchée ?

– Non, répondit-il.

– Penses-tu qu'il y ait d'autres Dragons ici ? demanda Spica. Cachés quelque part ? Peut-être dans les grottes, sous l'île ?

– Je n'en ai aucune idée, avoua-t-il.

Puis il leva ses yeux verts en direction de son amie et lui sourit, rassurant.

– S'ils avaient voulu nous attaquer, ils l'auraient déjà fait. Quoi qu'il en soit, nous devons être prudents, et prendre garde où nous posons les pieds...

Un second hululement déchira le silence. La terre trembla violemment, et une vague plus forte que les autres s'abattit sur la côte. La surface du ruisseau frémit.

Dès que le calme revint, les deux jeunes rassemblèrent leurs affaires et se dirigèrent vers la Citadelle.

L'île dissimulait encore bien des secrets : ils ne devaient pas commettre l'erreur de se croire en sécurité. Ombrage avançait à pas rapides, scrutant les environs. Poison s'était calmée, mais elle vibrait encore légèrement, comme pour avertir d'un danger lointain.

Aux murailles, les deux jeunes gravirent un escalier étroit qui les conduisit au sommet d'une tour. Alors, le jeune chevalier s'arrêta. Il n'en croyait pas ses yeux.

Spica arriva derrière lui, essoufflée, et le spectacle qui s'offrit à elle la fit pâlir.

– Mais que s'est-il passé ? gémit-elle.

Le port avait quasiment disparu, englouti par la mer. La jetée, la plage où ils avaient atterri avec Queue-Tranchée et une partie du rocher sur lequel s'élevait le phare étaient immergées. Des épaves sombres pointaient hors de l'eau.

– L'île est en train de couler, murmura le jeune Elfe.

– Ce n'est pas possible ! s'exclama Spica.

– Te souviens-tu des paroles de Maréa ? lui demanda-t-il en s'approchant de la balustrade, le regard fixé sur les hautes vagues qui semblaient vouloir tout dévorer. Te souviens-tu de son récit sur la naissance de l'île ? Elle a été appelée du fond de la mer grâce à la magie de la Fée Maréa sous le Bouclier qui est aujourd'hui brisé.

– Mais les habitants de l'île sont encore vivants, et si la mer engloutit tout… balbutia Spica. Maréa ne peut pas permettre une telle chose !

– Sans doute ne peut-elle pas l'empêcher, répondit Ombrage.

– Comment faire ? Si seulement Stellarius était là !

– Que pourrait un mage, si même Floridiana ne peut combattre ce maléfice ! C'est nous que la Reine des Fées a envoyés. Et d'abord, nous ne devons pas céder à la panique : il faudra du temps avant que l'eau ne submerge toute l'île.

Ombrage essayait de raisonner calmement, mais son cœur battait furieusement dans sa poitrine.

– Il nous faut retrouver le dernier fragment et le remettre en place avant que la catastrophe ne survienne. C'est le seul moyen de sauver l'île, ainsi que ses habitants.

Instinctivement les pensées d'Ombrage s'envolèrent vers son père : lui aussi était pris au piège dans un corps de pierre, mais il était en sécurité à la cour de Floridiana, la Reine des Fées. Le jeune Elfe soupira.

À ses côtés, Spica gardait les yeux fixés sur l'eau.

– Si l'île mystérieuse que nous avons vue pendant la tempête n'est pas le fruit de notre imagination, et si le dernier fragment s'y trouve, il ne sera pas facile de le récupérer. Au port, il n'y a pas d'embarcation. Et même s'il y en avait, il nous faudrait des jours et des jours pour atteindre l'île.

Ce qu'elle désirait par-dessus tout, c'était de voir apparaître à l'horizon les grandes ailes de Queue-Tranchée.

Ombrage lui effleura la main.

– Il reviendra nous chercher. Aie confiance.

La jeune Elfe supplia :

– Queue-Tranchée, où es-tu ? Nous avons besoin de toi !

Tandis qu'ils se dirigeaient vers la plateforme des Dragons, Ombrage garda le silence, mais son cœur articulait la même prière. L'étoile de son front brilla d'une lueur ténue, et comme si elle avait saisi l'écho de ses pensées, une petite silhouette sombre prit son envol au-dessus de l'île mystérieuse dissimulée par les vagues.

Queue-Tranchée s'éveillait doucement. La tempête était passée. La brise marine caressait agréablement ses écailles, et la tiédeur des pierres chauffées par le soleil avait ragaillardi ses membres épuisés. Voler au cœur de la tempête avait été une expérience merveilleuse mais exténuante, et, dès qu'il avait aperçu cette île noire frappée par les foudres, Queue-Tranchée y avait atterri sans hésiter. Cet endroit vibrait d'énergie et il y régnait une atmosphère délicieusement électrique. Le Dragon n'avait jamais vu un lieu aussi beau ; Ombrage l'aurait certainement apprécié autant que lui.

Un faible bruit l'arracha à sa rêverie. Du haut de la roche pointue sur laquelle il s'était installé, Queue-Tranchée entrouvrit un œil. Il discerna un mouvement parmi les pierres et, soudain, s'affola. Il entendait des voix graves qui ne lui plaisaient pas.

– Un migrateur, prononça une voix forte et autoritaire.

– Ce n'est pas possible, nous n'avons pas vu de migrateurs depuis tant d'années ! Et d'après Véridique, nous n'en verrons pas pendant très longtemps encore, répondit une seconde voix, moins assurée. Regardez, il porte une selle !

Queue-Tranchée ne comprenait pas le langage des Elfes. Le lien entre Ombrage et lui était si fort qu'il saisissait chaque pensée de son cavalier, mais avec les autres, il devait se fier à l'instinct de sa race pour interpréter le ton de la voix, le regard, la manière de se mouvoir, les battements du cœur…

Les mouvements des deux créatures qui l'observaient étaient furtifs, leurs rythmes cardiaques, précipités.

– Où est donc son cavalier ? demanda la première voix.

– Il est peut-être tombé en vol. La tempête a été particulièrement violente, murmura la seconde.

Les deux silhouettes sombres se déplacèrent. Queue-Tranchée les distinguait à peine : deux ombres noires sur la roche noire.

– Tant mieux pour nous ! Le ciel et la terre savent à quel point nous avons besoin de Dragons !

Malgré le danger, Queue-Tranchée percevait quelque chose de familier dans leur attitude et, intrigué, il les laissa approcher.

– Il s'agit peut-être d'une feinte, d'un piège pour nous tromper, monsieur, fit la voix moins assurée.

Queue-Tranchée sentit la peur courir dans les veines de cette créature et se raidit.

Le deuxième bougea rapidement et le Dragon remarqua dans sa main une brillance qui aurait pu être celle d'une arme.

L'animal eut un sursaut féroce, poussa un rugissement et se dressa brusquement. La petite silhouette tomba en arrière et cacha sa tête dans ses mains. L'autre se planta fermement devant le Dragon, les jambes écartées, comme pour résister au choc. Il ne bougea pas d'un pouce.

Queue-Tranchée siffla et projeta son souffle chaud sur les deux créatures. Il déploya les ailes et leva la tête dans une attitude de combat. À terre, la petite silhouette craintive battit en retraite en gémissant, mais l'autre demeura debout et lui fit face. Le Dragon percevait son malaise, sa crainte, mais cette créature ne recula ni ne posa son arme.

Cet Elfe ne lui plaisait pas. Une capuche noire dissimulait son visage ; il bougeait d'une étrange manière. Quand il parlait, sa voix résonnait, menaçante.

L'électricité s'accumulait dans la gorge de Queue-Tranchée : des flammèches jaillirent entre ses crocs, et les pupilles de ses yeux jaunes n'étaient plus que deux minces fissures verticales. Un seul éclat de foudre aurait suffi à anéantir ces deux Elfes qui avaient osé l'approcher avec une arme.

Pourtant quelque chose l'en dissuada. Avec un rugissement fier, il dressa la tête, prit appui sur ses pattes postérieures et, battant des ailes, s'éleva dans le ciel, aussi élégant qu'un poisson glissant sur la vague.

Une voix l'avait appelé. La voix d'Ombrage. Son cavalier avait besoin de lui. Il était temps de le rejoindre.

La silhouette encapuchonnée demeura longuement immobile, les yeux fixés sur le Dragon qui s'éloignait.

– Tu te trompais, Fortepoigne, soupira-t-il. Il a encore son cavalier.

– Mais… comment le savez-vous, monsieur ?

– Il vient de répondre à son appel, expliqua l'Elfe.

– Qui est-ce ?

– Je n'en sais rien. Mais la queue de ce Dragon a été tranchée, et ce n'est pas bon signe. Il l'a perdue soit parce qu'il a dû défendre un cavalier incapable de mener le combat, soit parce qu'on l'a torturé pour le rendre docile. Je pense que nous aurons la réponse d'ici peu. Dis aux autres de bloquer tous les passages et de se barricader à l'intérieur. Que personne ne sorte, sous aucun prétexte. L'île doit paraître déserte. Nous ne savons pas à qui nous aurons affaire dans les prochains jours, conclut-il d'un ton grave.

L'autre inclina la tête en signe d'acquiescement et disparut parmi les rochers.

3
LA MONTAGNE OBSCURE

e soir-là, la brume s'éleva de nouveau au-dessus des arbres et des buissons, et recouvrit l'île. Peu à peu, l'antique Citadelle des Chevaliers fut encerclée par une ouate grise et ondoyante, sur laquelle les tours et les toits à moitié écroulés semblaient flotter, comme en apesanteur.

Heureusement, les plateformes des Dragons étaient placées assez haut pour échapper à cette humide couverture. Sous le ciel resplendissant d'étoiles, Ombrage et Spica avaient installé leurs couches près du feu et préparaient en silence un maigre dîner de champignons et de pain sec.

Soudain, un mouvement dans l'air les fit sursauter, et dans la brume se perdirent de brefs rugissements. Ombrage se pencha au-dessus de la balustrade et scruta cette désolante étendue sombre. Il tendait l'oreille, essayant d'interpréter les sons. Brusquement, une violente rafale remua la couche brumeuse, formant de

larges tourbillons gris, et, dans le ciel, apparut la gigantesque silhouette ailée d'un Dragon. Spica lâcha un cri de peur, craignant qu'il ne les attaque. Mais le cœur d'Ombrage bondit de joie.

– Queue-Tranchée !

Le Dragon se posa sur la plate-forme, et le jeune Elfe accourut à sa rencontre. Son ami se portait bien. Il paraissait encore plus heureux que quand il s'était envolé dans la tempête. Il semblait avoir grandi : ses écailles, qui scintillaient sous les reflets du feu, étaient plus dures et plus brillantes, les épines sur sa tête plus robustes.

Les grands yeux jaunes croisèrent le regard d'Ombrage, et le jeune Elfe embrassa le Dragon avec un immense soulagement.

– Je commençais à m'inquiéter, lui avoua-t-il en riant, mais à tort semble-t-il.

Le Dragon émit un rugissement de joie et frotta son museau contre la main de son cavalier. Puis, ensemble, ils s'approchèrent de Spica, qui observait la scène, le sourire aux lèvres, émue et apaisée. Le Dragon la salua en s'ébrouant et elle répondit d'un rire joyeux.

Ombrage s'assit près du feu tandis que Queue-Tranchée s'installait derrière lui sur la plateforme, de manière que son long corps entoure et protège les deux Elfes.

– Où étais-tu pendant tout ce temps ? As-tu profité de la tempête et de ses foudres ? lui demanda Ombrage.

Queue-Tranchée remua les ailes, frémissant à ce seul souvenir : l'Elfe ressentit la sensation de bonheur que son ami avait éprouvée en vol comme si elle parcourait son propre corps.

– Je parie que tu as survolé cette île qui est apparue durant la tempête, ajouta-t-il en fixant les yeux du Dragon.

Un éclair d'inquiétude traversa le regard de Queue-Tranchée. Spica le remarqua aussi.

– Qu'y a-t-il ? s'enquit-elle. Est-elle dangereuse ?

Queue-Tranchée poussa ce cri étouffé qu'Ombrage connaissait bien.

– Elle ne lui plaît pas, traduisit-il.

– Au moins nous savons qu'elle existe vraiment. Est-elle habitée ?

Queue-Tranchée montra les dents et un éclat de foudre minuscule brilla à l'extrémité de son incisive recourbée. Les jeunes gens échangèrent un regard.

– Il semble que oui, soupira Ombrage tandis que la courte queue du Dragon frappait nerveusement la plateforme.

– Et par des créatures qui lui ont fortement déplu, ajouta Spica.

– Mais qui ? Des Sorcières ? demanda le jeune chevalier.

En réponse, il obtint un bref coup de museau sur l'épaule.

– Veux-tu dire… des Elfes ?

Le Dragon mugit en signe d'acquiescement et Spica soupira de soulagement.

– Enfin une bonne nouvelle ! Des Elfes ! Tout concorde : quelqu'un a emporté le fragment du Bouclier pour le protéger et le cacher là-bas !

– Je souhaite que tu aies raison, murmura Ombrage.

De toute façon, mieux vaut être prudent. Nous ne savons rien de cette terre mystérieuse qui ne figure sur aucune carte.

Il posa la main sur le cou du Dragon pour le calmer, et sentit l'anxiété de son ami se dissiper à son contact.

– Peut-être serait-il moins risqué d'y aller de nuit, reprit le jeune Elfe.

– Quoi ?! Il nous faudra attendre un jour de plus ? protesta Spica.

La lueur de la flamme qui se reflétait dans ses yeux la faisait paraître encore plus résolue.

– Non, je suggérais au contraire de partir tout de suite, la rassura-t-il.

Puis il se tourna vers le Dragon.

– Je sais que tu as voyagé durant de longues heures, mais aujourd'hui l'île s'est enfoncée de plusieurs mètres dans la mer. Spica a raison : il ne nous reste que peu de temps pour sauver cette terre et ses habitants pétrifiés. Si nous y allions avant l'aube ? Qu'en penses-tu ?

Queue-Tranchée se redressa sur ses pattes et ouvrit les ailes, paré au départ.

– Très bien, alors c'est décidé. Une fois le repas fini, nous décollerons.

Spica acquiesça.

Ce fut un dîner silencieux. Pour la première fois depuis des jours, Ombrage se sentait prêt à agir. C'était à lui de retrouver le troisième fragment. L'île le lui avait demandé, et il ne se déroberait pas.

Tandis que la nuit se faisait plus noire, les deux Elfes accrochèrent leurs bagages à la selle, et s'envolèrent vers l'île mystérieuse. La quête du dernier fragment du Bouclier des Chevaliers avait enfin commencé.

Autour, tout était obscur, à l'exception des étoiles. Spica sentait le vent lui fouetter le visage. Peu à peu, elle perdit la notion du temps. Soudain, elle réalisa que Queue-Tranchée planait et elle regarda vers le bas.

D'abord, elle ne vit rien que la mer. Puis lui parvint le son du ressac ; les vagues heurtaient quelque chose… la terre !

Une montagne noire, à la cime coupée net, se dressait devant eux.

Le Dragon prit un long moment pour s'approcher et, tandis que l'île devenait de plus en plus imposante et que ses contours se précisaient, Ombrage tendit

un bras pour indiquer un scintillement sur une paroi rocheuse.

Spica plissa les yeux pour mieux voir.

– Un feu ? suggéra-t-elle.

– Oui, un camp de garde, ou peut-être un village, précisa-t-il.

À peine eut-il prononcé ces paroles que la lueur disparut.

– Penses-tu qu'on nous a vus ? demanda la jeune Elfe.

– C'est peu probable, répondit-il.

Mais il n'en dit pas plus.

Elle se rendit compte qu'il était concentré et tendu, et s'abstint de poser d'autres questions.

Quand le ciel commença à s'éclaircir, le vol de Queue-Tranchée se fit plus lent. L'île, dominée par cette montagne à la cime coupée, se présentait comme un amas de roches denses et noires, tel un ciel de nuit. Après avoir jeté un coup d'œil sous lui, le Dragon vira pour atterrir sur une esplanade pavée, probablement une ancienne plateforme pour Dragons, désormais envahie par la végétation.

Une fois descendus de selle, les jeunes Elfes regardèrent autour d'eux. Les rochers noirs qui entouraient la plateforme étaient si hauts qu'ils ne pouvaient les escalader. Ils parvinrent pourtant à les franchir grâce à l'aide de Queue-Tranchée, et atteignirent un petit à-plat d'où ils observèrent l'île. Des buissons bas et épineux, d'une teinte aussi sombre que celle du sol, poussaient partout.

– Par toutes les étoiles ! s'exclama Spica. Quel endroit désolé !

Au sud, une surface miroitante, ceinte par des rochers, formait une sorte de lac aux eaux si transparentes et cristallines qu'on en distinguait le fond gris, constellé de pierres et de gouffres noirs.

L'espace d'un instant, Ombrage douta de réussir à trouver le fragment du Bouclier. Il avait espéré qu'ils apercevraient des habitations ou des refuges, mais l'île semblait aussi dépeuplée et inhospitalière qu'un désert. Sur l'île des Chevaliers, toute forme de vie avait été pétrifiée. Ici, c'était comme s'il n'y en avait jamais eu. Si quelqu'un vivait là, il ne se montrerait sûrement pas. Ils ne pouvaient même pas suivre des empreintes : leurs propres pas ne laissaient aucune trace sur les roches noires et brillantes, et les seuls animaux visibles étaient de petits lézards rougeâtres qui se prélassaient sous le soleil déjà haut dans le ciel.

– Que faisons-nous maintenant ? demanda Spica.

– Jetons un coup d'œil aux alentours, répondit Ombrage.

Et ils commencèrent à marcher sur le sentier dénudé.

4

PIERRES VOLANTES

pica suivait Ombrage en silence, trébuchant sur ces roches noires aux reflets d'argent, et haletant à cause de la chaleur.

Comme s'il se parlait à lui-même, le jeune Elfe murmura :

– Même si on ne voit rien qui laisse penser que l'île est habitée, quelqu'un s'y est peut-être réfugié quand l'île des Chevaliers a été assaillie par les Sorcières ; cette terre étant invisible aux regards extérieurs, il savait qu'il y serait en sécurité. Mais ça n'a pas dû être facile de survivre sur cette lande.

Il se retourna et aida son amie à franchir un passage particulièrement ardu. Queue-Tranchée les suivait d'un pas tranquille, levant le cou pour scruter les environs. Ombrage n'était pas inquiet car le Dragon ne donnait pas de signe de nervosité. Il n'y avait donc pas de danger imminent : aucune sentinelle n'avait le regard aussi perçant ni l'ouïe aussi fine que Queue-Tranchée. Poison ne tremblait pas non plus.

– Ouf ! Cette île semble faite pour décourager les éventuels visiteurs, s'exclama Spica. Penses-tu que nous puissions dénicher un abri contre ce soleil cuisant ?

Ombrage secoua la tête.

– Je ne crois pas qu'il y ait de maison, les créatures aperçues par Queue-Tranchée lors de sa première visite habitent sans doute dans une grotte. Si des êtres vivent ici, ils ont sûrement trouvé un moyen de se protéger de la morsure du soleil, conclut le jeune Elfe.

Lui aussi était épuisé par la chaleur toujours plus forte, que cette étendue de roches brûlantes rendait encore plus insupportable.

Un peu plus loin, ils remarquèrent une faille entre les pierres qui semblait pouvoir leur offrir un peu d'ombre, et ils s'y glissèrent. Ils cheminèrent le long d'un étroit sentier, entre deux parois noires, et débouchèrent sur un espace sablonneux où poussaient des arbres aux feuilles clairsemées.

Ombrage s'essuya le front.

– Arrêtons-nous ici, il fait trop chaud pour continuer. Nous attendrons que le soleil descende avant de nous remettre en marche.

Spica, les joues rouges et les yeux brillants, soupira et se laissa tomber sous les branches noirâtres des arbres.

Queue-Tranchée déploya les ailes et tourna la tête vers la mer qui rugissait en bas.

– Tu voudrais y aller, n'est-ce pas ? interpréta Ombrage, remarquant l'impatience de son ami. Va donc !

Queue-Tranchée émit un grognement et s'élança, pour revenir peu après avec plusieurs poissons.

Ombrage et Spica les firent cuire sur la pierre chauffée à blanc et, après s'être rassasiés, ils s'installèrent à l'ombre du grand corps du Dragon qui somnolait, satisfait par son petit vol.

Mais le soleil ne leur donnait aucun répit.

– C'est terrible ! gémit Spica en buvant une gorgée d'eau. Comment peut-on survivre ici ?

Le Dragon ouvrit un œil et la fixa, étonné.

– Apparemment, Queue-Tranchée est parfaitement à son aise, je dirais même qu'il apprécie cet endroit ! s'exclama Ombrage.

Ce dernier rugit en signe d'approbation.

– Ses écailles le maintiennent au frais et les reflets du soleil ne l'aveuglent pas, rétorqua la jeune Elfe.

Juste à ce moment, Queue-Tranchée leva la tête en

grognant. La brise marine avait porté un son jusqu'à ses oreilles ultrasensibles : un léger bruit, comme si quelqu'un froissait une feuille de papier. L'Elfe le perçut aussi et se leva.

– Qu'est-ce que ça peut bien être ? murmura-t-il.

Spica saisit son arc et ses flèches, mais il lui fit signe de ne pas bouger. Il alla jeter un coup d'œil au-delà des arbres. Elle le mit en garde :

– Fais attention, ce sont peut-être des Trolls de Pierre… Qui d'autre pourrait vivre dans un tel lieu ?

– Queue-Tranchée est calme et Poison ne tremble pas, répondit Ombrage. Je ne crois pas qu'il y ait de danger. Attends-moi ici, je vais vérifier.

Il s'avança, guettant derrière les roches pointues. Soudain il se figea, stupéfait. Son cœur battait à tout rompre.

Au-dessus d'un rocher arrondi, environné d'étranges éclairs lumineux, un gros prisme de pierre noire flottait dans les airs. Entre le prisme et la roche circulaient des courants de foudres bleues. À chaque coup de vent, le prisme tournait sur lui-même et ondoyait comme un vaisseau sur l'eau.

Le jeune Elfe, abasourdi, descendit pour observer de près cette étrange pierre volante.

– Viens voir, Spica ! Il y a là un phénomène qui n'est
pas naturel… réfléchit Ombrage en remarquant les
ornements bizarres à la base de la roche.

– Ce pourrait être l'œuvre d'un mage, suggéra
Spica. À quoi cela peut-il servir ?

Ombrage n'en avait aucune idée. Cette île était un
vrai mystère.

Queue-Tranchée s'approcha,
flaira la pierre volante
et la frappa d'un

petit jet de foudre. La décharge fut immédiatement absorbée par le prisme, qui s'éleva de quelques mètres puis, voltigeant en une lente spirale, reprit sa place initiale.

– Cela n'explique pas à quoi ça sert, mais je te remercie, mon ami, dit Ombrage. Grâce à toi nous avons au moins compris pourquoi tous les éclats de foudre tombaient sur cette île durant la tempête. Cette pierre les attire et les absorbe. C'est peut-être pour ça que notre Dragon aime tellement cet endroit.

Un bruit de pierraille remuée les fit se retourner. Une ombre se glissa entre les rochers et s'évanouit aussi vite qu'elle était apparue.

Queue-Tranchée rugit et se lança à sa poursuite. Grâce à ses griffes, il se mouvait avec une grande agilité sur ce terrain accidenté. Mais il eut beau chercher, retourner les pierres et fouiller les anfractuosités, il ne trouva rien.

Soudain, un cri d'Ombrage le fit revenir sur ses pas. Il se retourna et vit son cavalier stupéfait : les roches qu'il avait déplacées voltigeaient en apesanteur.

– On dirait que toutes les pierres de cette île peuvent flotter en l'air, pour peu qu'on les soulève du sol ! s'exclama Ombrage.

– Comment est-ce possible ? Ce doit être l'œuvre d'une magie très puissante, déclara Spica.

– À moins que ce ne soit dû à l'énergie de la foudre, supposa Ombrage.

Il fit signe à Queue-Tranchée et tous trois se remirent à explorer l'île.

⁓

Malgré l'aide de Queue-Tranchée, grâce à qui ils survolèrent certaines zones, les deux jeunes gens mirent deux jours pour explorer toute l'île, et, à la fin, ils durent admettre qu'ils n'en savaient pas beaucoup plus qu'au début. Ils avaient vu d'impressionnantes aiguilles rocheuses, un ruisseau qui descendait de la montagne et se jetait dans le lac non loin de l'endroit où ils avaient atterri. Le long de la côte, ils avaient repéré un nombre important de prismes volants, plus ou moins réguliers. Mais ils n'avaient découvert aucun lieu habité.

Ils n'avaient pas non plus aperçu d'autres ombres mystérieuses, mais cela ne les rassurait pas : ils se sentaient en permanence observés.

Au soir du deuxième jour, ils ne savaient plus trop

que faire. Alors qu'ils dînaient en silence, Spica vit qu'Ombrage posait sa main sur l'Appel des Mers.

– Penses-tu que le moment soit venu de l'utiliser ? lui demanda-t-elle.

Il acquiesça.

– Oui, il n'y a plus de temps à perdre. J'ai attendu, car j'espérais découvrir par moi-même un indice qui nous mettrait sur la voie, mais dès demain matin je soufflerai dans le coquillage pour la troisième et dernière fois. J'espère que le don de Maréa nous aidera, parce que ensuite nous serons vraiment seuls, conclut-il.

– Non. Tant que nous serons ensemble, nous ne serons pas seuls, essaya de l'encourager Spica.

Le jeune Elfe sourit, mais l'étoile de son front demeurait obstinément opaque, tourmentée par de sombres pensées.

Spica savait qu'Ombrage avait parlé en rêve à Floridiana, quand il avait remis en place le premier puis le deuxième fragment du Bouclier. Mais la dernière fois, au lieu de le rasséréner, les paroles de la Reine des Fées avaient profondément troublé Ombrage. Comme si quelque chose l'avait effrayé… Il était pourtant celui qui avait affronté les Dragons, les Ogres, les Sorcières, celui qui avait vaincu Sorcia ! Celui qui avait toujours soutenu ses amis et ses compagnons dans les moments difficiles !

Spica soupira. Elle aurait tant voulu parler elle-même à Floridiana, savoir ce que leur réservait l'avenir, et quelles épreuves ils devraient surmonter sur cette île. Pensive, la jeune Elfe lança un caillou dans l'obscurité qui entourait le feu.

Elle n'entendit aucun bruit de chute. La petite pierre flottait, comme suspendue à un fil. Queue-Tranchée s'amusa à la faire voltiger avec une griffe ; la lueur du feu donnait un éclat métallique à ses contours.

Spica s'adossa aux roches. Elle contempla le ciel limpide et étoilé, en se demandant où Ombrage et elle étaient tombés.

Queue-Tranchée jeta un coup d'œil vers la jeune Elfe, puis se mit à observer les étoiles lointaines. Ombrage fixait le foyer, le regard distant, perdu dans les flammes. Le Dragon percevait à quel point son cavalier se sentait seul, à la dérive sur la mer infinie qui les entourait, et comprenait ce sentiment. Il avait éprouvé cette même sensation de solitude quand il était prisonnier des Ogres. Certes l'Elfe pouvait compter sur lui et sur la jeune Étoilée ; pourtant cela ne suffisait pas. Sans doute son cavalier avait-il besoin de quelqu'un qui lui assure que tout irait bien, que les décisions qu'il prenait étaient les bonnes. Que des temps meilleurs viendraient pour tous. Mais personne ici ne pouvait lui dire cela : ni la jeune Elfe, effrayée par ce lieu et doutant de l'avenir, ni lui qui pourtant faisait d'instinct une confiance absolue à son cavalier. Seul Ombrage trouverait la juste manière d'affronter les épreuves.

Le jour où il était venu le libérer de l'esclavage, dans l'arène des Ogres, Queue-Tranchée l'avait aussitôt compris. De même, il savait que, le moment venu, Ombrage reconnaîtrait sa voie.

Queue-Tranchée était certain que son cavalier

découvrirait le moyen de vaincre les brumes qui l'enveloppaient, de lever la tête et de suivre les étoiles au-dessus de lui.

Ombrage et lui se ressemblaient beaucoup.

5

L'ULTIME RECOURS

uand le soleil se leva, Ombrage et Spica étaient déjà debout. L'aube était grise et fraîche, même si la journée s'annonçait aussi chaude que la précédente. Après un rapide petit déjeuner, Queue-Tranchée emmena les jeunes Elfes jusqu'au lac. Les vagues de la mer n'atteignaient pas cette étendue miroitante qui demeurait immobile et cristalline. Seul un ruisseau s'y jetait en provoquant de petits remous d'écume. Tout autour, les rives étaient découpées et hérissées de rochers pointus.

Les jeunes gens descendirent avec précaution jusqu'au bord. Ombrage immergea ses pieds dans l'eau avant d'utiliser l'Appel des Mers, ainsi que Maréa le lui avait indiqué. Un frisson parcourut son échine quand des vaguelettes caressèrent ses mollets. Il contempla le ciel puis l'eau, et embrassa du regard cette mystérieuse île noire ; alors il trouva le courage de saisir le coquillage de Maréa.

Il l'avait déjà utilisé par deux fois, et par deux fois des événements déconcertants s'étaient déclenchés, qui les avaient mis sur la voie des deux premiers fragments du Bouclier. Il n'osait penser à ce qui allait arriver à présent.

Maréa lui avait précisé qu'il ne pourrait utiliser l'Appel des Mers qu'à trois reprises. C'était donc la dernière fois. Le cœur serré, espérant qu'il faisait le bon choix, Ombrage souleva le coquillage, ferma les yeux et souffla de toute la force de ses poumons.

L'Appel des Mers émit un doux murmure, qui se transforma peu à peu en un son dense et profond. Ce fut un chant long et mélancolique, comme un adieu. Quand le jeune Elfe détacha les lèvres de l'embouchure, les dernières notes se perdirent sur l'eau.

Un moment Ombrage craignit qu'il ne se passe rien, puis un grondement de tonnerre retentit au-dessus d'eux.

Les pierres tremblèrent. Ombrage glissa en poussant un cri étranglé et tomba dans le lac.

Dans le ciel serein, un éclat de foudre rougeoyante s'abattit brusquement près d'eux, suivi de plusieurs autres. Le fracas fit vibrer l'air et, avant qu'Ombrage ne puisse réagir, quelque chose dans l'eau, ou l'eau elle-même, le tira et le fit disparaître dans les ondes.

Sous la surface, le jeune Elfe entendit le rugissement de Queue-Tranchée, puis tout devint ouaté et lointain. Paralysé de stupeur, il fut entraîné au centre du lac, là où l'eau était la plus profonde.

Une douce quiétude l'enchantait. Il sentait qu'il ne courait aucun danger : le monde sous-marin était merveilleux. Lumières, ombres, tout semblait tissé d'azur et de reflets dorés.

Soudain, il remarqua quelque chose, et son cœur faillit s'arrêter de battre… mais juste à cet instant les griffes de Queue-Tranchée se refermèrent sur lui avec grâce et fermeté. L'azur et le silence disparurent. Les

sons résonnèrent à nouveau aux oreilles du jeune Elfe et le vent lui gifla le visage.

Ombrage s'agrippa aux pattes du Dragon. Tout à coup, il comprit : l'eau n'avait pas voulu lui faire de mal, mais seulement lui indiquer la voie. Maintenant il savait où aller.

Spica tendit la main pour l'aider à monter en selle.

– Tu vas bien ?! As-tu vu ces foudres ? C'était terrifiant, on aurait dit qu'elles voulaient nous frapper.

– Mais ce n'était pas le cas, et je vais bien, lui assura Ombrage, en grimpant sur le dos du Dragon.

Tandis qu'il relevait sa mèche trempée sur son front, Spica le fixait comme si elle découvrait quelqu'un d'autre.

– Que s'est-il passé ? demanda-t-elle.

– Nous devons redescendre ! cria-t-il pour se faire entendre de Queue-Tranchée, qui les emmenait toujours plus haut.

Puis il regarda vers le bas et, pour la première fois, put observer l'île tout entière, baignée dans la lumière de l'aube limpide. De nuit, pendant la tempête, l'île leur était apparue comme une montagne surgie des flots. À présent, elle ressemblait à un grand croissant de lune montante, noir et argenté sur le fond azur de la mer. Plus Queue-Tranchée s'élevait et plus les contours s'estompaient et semblaient se dissoudre dans le bleu du ciel et de l'eau. Encore quelques mètres et l'île disparaîtrait de leur champ de vision. L'atmosphère se densifia, et Ombrage se rendit compte que d'autres foudres s'apprêtaient à tomber.

– Nous devons revenir au sol. Tiens-toi bien ! hurla-t-il à son amie.

Puis il tapota deux fois le cou du Dragon qui, réagissant aussitôt à ce commandement, replia les ailes et se jeta en piqué. Ombrage sentit Spica s'agripper à lui en retenant un cri. Il saisit sa main et la serra pour lui communiquer force et confiance.

– Peut-on savoir ce qui t'a pris ? balbutia Spica quand elle posa le pied à terre, tremblant comme une feuille. Ne pouvions-nous pas descendre plus doucement ? Si les foudres…

– Une autre gerbe de feu était sur le point de tomber. Nous sommes en sécurité sur l'île : ici les foudres ne nous frapperont pas, affirma Ombrage.

– Comment le sais-tu ? rétorqua Spica, les yeux brûlants de peur et de colère.

Comme pour lui répondre, un nouvel éclat de

foudre déchira le ciel et fut absorbé par un prisme volant, qui grésilla joyeusement et dansa en apesanteur au-dessus du sol.

Queue-Tranchée émit un rugissement ravi, hérissant ses écailles afin de recueillir l'électricité ambiante. Spica se boucha les oreilles. Le tonnerre qui s'ensuivit résonna sur l'île tout entière comme une explosion magique, puis tout se tut, et le ressac redevint audible.

– Je ne sais comment, mais cette île absorbe les foudres, Spica. C'est pour cela qu'elle plaît à Queue-Tranchée : il tire son énergie de la foudre. Je commence à penser qu'il existe un lien profond entre cette terre et lui… expliqua Ombrage d'une voix calme, en posant une main sur l'épaule de son amie.

– Tu sais que j'ai horreur de la foudre, parvint-elle seulement à bredouiller.

Ombrage lui sourit, et l'étoile de son front scintilla vivement, faisant resplendir ses yeux d'un reflet si intense que Spica en resta sans voix.

Il sembla ne pas s'en apercevoir.

– Tu vas devoir t'y habituer, dit-il. Cette île est la demeure des foudres, et c'est ici que se trouve le troisième fragment du Bouclier.

Spica retira doucement la main d'Ombrage de son

épaule et croisa les bras. Ce n'était pas contre l'Elfe qu'elle était en colère, mais contre elle-même et ses peurs. Queue-Tranchée posa amicalement son museau sur sa tête.

Alors Spica se reprit :

— D'accord, d'accord. Mais je ne les aime pas.

Puis elle se souvint de l'Appel des Mers : quel était donc l'indice donné par Maréa ? Elle craignit un instant qu'ils n'aient gaspillé ce recours précieux.

— Que s'est-il passé sous l'eau ? As-tu repéré quelque chose ? Moi, je n'ai rien vu…

Elle s'interrompit en remarquant le visage souriant d'Ombrage.

— Sous ce rocher, il y a une sorte de tunnel ! s'exclama-t-il, en se précipitant le long de la rive. Il est presque invisible hors de l'eau et sans l'aide d'une lumière particulière.

Queue-Tranchée rugit en direction du ciel, et Spica ne put s'empêcher de sourire.

— La lumière des foudres, n'est-ce pas ?

Ombrage acquiesça.

— Je ne sais pas où mène ce tunnel, mais un courant glacé m'a entraîné jusqu'à ce que je l'aperçoive.

— Maréa, murmura Spica en rougissant.

Elle avait craint qu'Ombrage ne se noie et avait supplié Queue-Tranchée de plonger pour le sauver.

– Nous devrons nager ! la prévint Ombrage. Te sens-tu prête ?

– Bien sûr ! Ne t'inquiète pas.

– Et toi, mon ami, qu'en penses-tu ? dit-il au Dragon en lui caressant le museau.

Queue-Tranchée grogna sourdement.

– Oui, je sais, soupira le jeune Elfe. Le tunnel est trop étroit pour toi. Tu ne pourras pas nous accompagner.

Queue-Tranchée s'ébroua, mais l'étoile resplendissante de certitude sur le front de son cavalier suffit à le rassurer.

– Ne crains rien, tout ira bien, lui dit Ombrage. Si nous avons besoin de toi, nous trouverons le moyen de te prévenir.

Spica posa une main sur les écailles bleues du Dragon.

– Sois tranquille. Je serai avec lui.

Le souffle quelque peu dubitatif de Queue-Tranchée la fit sourire, et elle ajouta :

– En tout cas, je ferai de mon mieux !

Puis elle se tourna vers Ombrage.

— Je ne crois pas qu'il me
fasse une confiance aveugle.

Le jeune Elfe éclata de rire,
chargea sa besace sur son épaule et dit :

— Il se fie plus à toi que tu ne le penses, pas vrai,
mon ami ?

Puis il adressa au Dragon un sourire mélancolique.

— Sois prudent, et prends garde aux ombres que
nous avons aperçues.

Puis il tendit la main à Spica. Elle la saisit et,
ensemble, ils descendirent sur la rive du grand lac.

6

LA VOIE DU DRAGON

L'inquiétude battait dans la poitrine d'Ombrage. Il se retourna et croisa le regard soucieux de Queue-Tranchée : il avait la sensation qu'il ne le reverrait pas de sitôt.

Il pressentait qu'il devrait affronter cette épreuve tout seul. C'était son épreuve.

« Trouve le troisième fragment, et tu auras la clef du Présent. Il symbolise ta vie, tes rêves, ton cœur. Ce sera la partie la plus ardue de la mission. Ne trahis pas nos amis et l'île revivra ! Ne te trahis pas toi-même et tu trouveras ta route ! »

Les mots de Floridiana le tourmentaient.

L'île était tombée aux mains des Sorcières par trahison. Ombrage se demandait s'il serait à la hauteur de la mission. Il était sûr de ne pouvoir, ni de vouloir, trahir ses amis. Que signifiait « ne te trahis pas toi-même » ?

En regardant l'eau limpide, il se souvint qu'il lui

fallait tenir sa promesse : rendre aux vagues l'Appel des Mers.

Il le détacha de sa ceinture, puis le laissa tomber dans le lac et le vit se poser au fond, semblable aux autres coquillages. Ombrage souhaita qu'il puisse aider quelqu'un d'autre, puis revint à ses pensées.

Il savait qu'il ne pouvait pas revenir en arrière, c'était sa seule certitude. À la nage, il atteignit l'endroit où il avait vu le tunnel et plongea la tête sous l'eau. Sans la lumière des foudres, il ne discerna pas immédiatement l'ouverture, mais, juste avant que l'air ne commence à lui manquer, l'étoile de son front brilla. Au fond du lac, une pierre noire sur laquelle étaient gravés une lune et un soleil scintilla en réponse. L'entrée devait être là.

– L'as-tu trouvée ? demanda Spica quand elle le vit émerger.

– Oui ! répondit-il en reprenant son souffle.

Il s'immergea de nouveau et, en quelques brasses, il fut tellement près de la pierre qu'il put en observer chaque détail.

Soleil et lune. Comme sur le médaillon que lui avait donné son père Cœurtenace et qu'il portait toujours à son cou. D'ailleurs, cette mystérieuse île avait la forme d'une lune. L'île était-elle l'origine de ce symbole ? Et même de son peuple ? S'il en était ainsi, que découvrirait-il au bout du tunnel ? Trouverait-il des réponses aux questions qu'il se posait sur son père ?

À la surface, Spica vit Ombrage lui faire signe. Elle serra les lèvres et se décida. Elle prit une inspiration, plongea, et disparut dans les profondeurs du lac salé, saluée par un rugissement de Queue-Tranchée. Dans les nuées de bulles qui l'entouraient, Spica chercha Ombrage, qui pénétrait dans l'obscurité du tunnel. Elle le suivit. Du fond du lac, une pierre diffusait une pâle lumière argentée, mais Spica n'eut pas le temps de la contempler. Elle accéléra pour rattraper son ami. Elle dut franchir une muraille opaque d'eau glacée, et lutta contre le courant qui semblait vouloir la refouler. Elle commença à souffrir du poids de son armure de cuir gorgée d'eau, son arc la gênait ; elle sentit le froid transir ses os, mais elle serra les dents et continua à nager. Elle devait réussir.

De faibles lumières ondoyaient devant elle. Comme des rayons de soleil. Était-ce la sortie du tunnel ? Elle nagea jusqu'à n'avoir plus de force dans les jambes, jusqu'à vider ses poumons, et alors la lumière prit une teinte rouge sang. Spica distingua des marches immergées : elles semblaient lointaines, mais la jeune Elfe devait les atteindre. Elle fit un effort colossal, et crut un instant qu'elle n'y parviendrait pas. Au moment où elle allait abandonner, une main ferme la saisit et la tira hors de l'eau.

– Respire ! Allez ! Nous sommes arrivés !

C'était Ombrage.

Spica s'agrippa à son bras et les deux jeunes gens, trempés et hagards, montèrent les marches.

– Je pensais que ça ne finirait jamais, murmura-t-elle, heureuse d'être sortie de cet abysse gris et glacé.

Elle ferma les yeux pour chasser les derniers restes de peur. Puis elle les rouvrit : Ombrage et elle se tenaient dans une petite salle circulaire, illuminée par des globes lumineux, rouges comme des flammes. Sur le pourtour, des colonnes imposantes soutenaient un plafond constellé de minuscules cristaux argentés.

Spica avala sa salive. Elle éprouvait la crainte absurde de se trouver de nouveau au château de Sorcia. Mais elle se reprit aussitôt et demanda :

– Où sommes-nous ?

– Par là, il y a un passage, montra Ombrage.

Sur son front l'étoile brillait de la même lumière rougeâtre que les globes flamboyants. Il se dirigea vers un corridor sombre qui s'ouvrait dans la paroi.

Queue-Tranchée s'était recroquevillé sur un des rochers noirs qui bordaient le lac, et surveillait les eaux où Ombrage et Spica avaient disparu.

Ses deux amis n'étaient pas encore revenus. Même si Ombrage lui avait dit de ne pas s'inquiéter, il avait ressenti l'anxiété qui étreignait le cœur de son cavalier.

Il se déplaça d'avant en arrière sur les roches puis déploya ses ailes et fit un petit vol autour de l'île, essayant de comprendre où débouchait ce tunnel. Les Elfes qu'il avait croisés le préoccupaient. Pas pour lui-même : ce n'étaient que de minuscules créatures dont il aurait pu se défendre aisément. Mais pour Ombrage.

Il y eut un frétillement parmi les pierres. Un autre suivit, et encore un autre. Quelque chose se mouvait à la surface de l'île. Queue-Tranchée s'approcha, passa en rase-mottes, puis décida d'atterrir sur le flanc de la montagne obscure où il avait aperçu le dernier mouvement. Il se posa sur la roche noire, y enfonça ses griffes puissantes, et se mit en attente.

Et s'il s'agissait d'Ombrage et de Spica ?

Du fond du tunnel leur parvint un son étrange, comme des os qui s'entrechoquaient. Ombrage serra la main sur Poison, qui pourtant ne tremblait pas. Il la sortit légèrement du fourreau, prêt à dégainer.

– Reste derrière moi, ordonna-t-il à Spica.

La jeune Elfe saisit son arc et engagea une flèche de ses doigts engourdis par le froid. Ses yeux brûlaient à nouveau de courage et de décision.

Le cliquetis cessa. Seule demeurait la lointaine rumeur de la mer.

Ombrage serra les dents et fit un pas en avant. Juste après l'entrée du passage s'élevait un escalier aux marches parfaitement lisses et régulières, qui disparaissait dans une obscurité à peine traversée par la lumière rouge.

Ombrage avançait sans parler. Spica avait du mal à croire que cet endroit, creusé sous la roche de l'île, ait été autrefois habité.

Des gouttes d'eau tombaient de leurs habits trempés et résonnaient sur les pierres.

L'air se fit plus tiède et, dans le silence, monta un son lointain, indéchiffrable.

– Ce lieu donne le frisson… Penses-tu que le fragment du Bouclier s'y trouve ? demanda la jeune Elfe.

– Peut-être. Il y a quelque chose pourtant…

Ombrage sentait que ce ne serait pas aussi simple.

– Que veux-tu dire ?

– Il ne s'agit pas d'une grotte abandonnée. Les escaliers, les colonnes, ces globes lumineux… marmonna le jeune Elfe.

Mais il s'interrompit soudain et se figea.

Spica manqua de se cogner contre lui. Ombrage fronça les sourcils et serra plus fort la garde de Poison. Il attendit.

Il avait entraperçu une lueur. N'était-ce qu'un reflet ? Il plissa les yeux pour mieux voir. Le scintillement se répéta, bref et intense, sembla hésiter un instant, puis s'éteignit. Ensuite deux lumières rouges s'allumèrent encore.

Ombrage frémit.

Des yeux.

Des yeux rouges aux aguets devant eux.

Les doigts de Spica tendirent l'arc d'argent.

– Non, arrête ! lui murmura Ombrage.

Bizarrement, Poison ne tremblait pas. Et le jeune Elfe ne se sentait pas en péril. Ces créatures, quelles qu'elles soient, n'étaient peut-être pas dangereuses. Elles les laisseraient peut-être passer…

Il avança lentement dans le corridor, gravissant une marche à la fois. Les éclats rouges disparurent puis s'allumèrent de nouveau, d'abord épars, ensuite plus nombreux et inquiétants.

– Mais qui… chuchota Spica, confuse.

Les deux Elfes comprirent enfin. C'étaient les petits lézards rougeâtres qu'ils avaient vus à leur arrivée sur l'île, et qui les observaient, intrigués.

– Il y en a des milliers… On dirait… on dirait des Dragons miniatures ! sourit Spica, soulagée.

Ils montèrent encore, et peu à peu une lumière plus soutenue éclaira l'escalier. Les lézards étaient

en nombre impressionnant. Ils recouvraient les parois, le plafond, glissant les uns sur les autres.

Ombrage sentit un frisson lui parcourir l'échine. Il accéléra le pas. La clarté s'intensifia et une bouffée d'air chaud confirma qu'ils approchaient de la sortie. Un parfum de résine et de plantes vertes embaumait l'atmosphère.

Ils étaient parvenus au sommet de l'escalier. Encore quelques pas et l'éclat du soleil les inonda.

– Ah, enfin… commença Spica.

Mais elle ne put terminer sa phrase.

Un son vibra derrière eux.

Un bruit de pierres remuées fit se retourner Queue-Tranchée. Ses écailles se hérissèrent. Ce n'était pas Ombrage. La créature à capuche se détacha de la masse rocheuse derrière laquelle elle était dissimulée et se mit debout. Quelque chose brillait entre ses mains, le même objet qui avait déjà effrayé le Dragon. À présent Queue-Tranchée le voyait bien : c'était la pointe argentée d'une lance.

Le Dragon souffla, menaçant. Soudain deux, trois,

quatre ombres sortirent de leurs cachettes et l'encerclèrent. Autour de lui, des pointes de métal scintillaient. Queue-Tranchée releva la tête, en position de
combat, les écailles dressées sur son cou : l'horreur
de l'esclavage sur les terres des Ogres, qui ne s'était
jamais effacée de sa mémoire, refaisait surface, plus
vive que jamais. De petits éclats de foudre scintillèrent
entre ses crocs.

Une des créatures encapuchonnées prit la parole.
C'était la voix hésitante que Queue-Tranchée avait
déjà entendue.

Le Dragon siffla. Mais cette fois l'inconnu ne recula
pas ; il haussa même le ton. Les lances s'agitèrent à
l'unisson. Queue-Tranchée se redressa, ouvrit ses
mâchoires, rugit de toute sa férocité et cracha une
puissante flamme.

Sa courte queue frappa la terre, et la moitié des
silhouettes tombèrent. Un manteau noir prit feu,
quelqu'un fut touché. Dans la confusion qui s'ensuivit, Queue-Tranchée n'avait qu'une seule pensée : son
cavalier, son seul ami, était en danger sur cette île !

Il se rua sur les figures encapuchonnées qui le menaçaient de leurs lances.

– Sauve qui peut ! cria quelqu'un.

D'un rapide coup de queue le Dragon renversa un amas de pierres, qui roulèrent sur les flancs de la montagne. Une flèche vola et se fracassa contre ses écailles bleues comme sur un mur de granit. Queue-Tranchée rugit et les créatures épouvantées se dispersèrent, disparaissant dans l'ombre des roches. Une seule, peut-être touchée, demeura au sol.

D'un bond, Queue-Tranchée fut près d'elle. Il la fixa de ses yeux jaunes, profonds et magnétiques, pleins de rage, les mâchoires ouvertes, prêt à décocher ses foudres.

La créature poussa un cri étranglé.

– Tu es un Dragon bleu ! Les Dragons bleus ne… ne tuent pas les Elfes ! Ils ne les ont jamais tués ! Que t'a-t-on fait pour te rendre aussi féroce ?

Son regard s'attarda un instant sur les cicatrices de Queue-Tranchée, stigmates des tortures infligées par les Ogres.

Le Dragon émit un grognement sourd, et son haleine chaude fit virevolter le manteau de l'Elfe, qui gémit. Il allongea la main à tâtons pour reprendre sa lance, mais Queue-Tranchée le devança. D'un violent coup de patte il en frappa la hampe, qui se brisa. Le regard du Dragon était dur et glacial. L'Elfe tremblait. Queue-

Tranchée semblait sur le point de le dévorer quand un sifflement vibra derrière lui. Un sifflement qu'il avait déjà entendu dans un passé très lointain. Brusquement, il fit volte-face : à l'endroit d'où était provenu le son, une ombre s'évanouit parmi les pierres. Il grogna. S'était-on joué de lui ? Quand il se retourna, l'Elfe avait disparu.

L'air fut secoué par un puissant rugissement rageur. D'un bond, le Dragon décolla et se mit à voler au-dessus de l'île, furieux.

Ombrage sortit de la grotte. Il leva la main pour se protéger les yeux de la réverbération du soleil. Alors qu'il cherchait à comprendre où ils se trouvaient, il entendit un chuintement derrière eux. C'étaient les lézards : ils ouvraient et fermaient la bouche dans une espèce de chant qui s'élevait vers le ciel et qui devenait peu à peu assourdissant. Spica dut se boucher les oreilles.

À ce moment, du coin de l'œil, Ombrage vit quelque chose bouger.

– Reste où tu es ! cria-t-il à Spica, par-dessus le chant
des lézards.

Soudain, ces étranges animaux firent silence.

Alors une voix dure ordonna :

– Ne bougez plus, envahisseurs !

Celui qui avait parlé était de haute stature, vêtu de
noir, encapuchonné. Il pointait sur eux une longue
lance. Ombrage plissa les yeux pour distinguer le
personnage qui se dressait devant lui à
contre-jour, mais son noir manteau
le dissimulait efficacement.

– Qui êtes-vous ? demanda
Ombrage.

Derrière lui, d'autres
ombres sorties du néant
remuèrent.

– Vous, qui êtes-
vous ? Comment
êtes-vous parve-
nus jusqu'ici ?
tonna la voix.

– Nous som-
mes venus pour
accomplir une

mission cruciale… une question de vie ou de mort, répondit Ombrage.

– Quel genre de mission cruciale ? l'interrogea la silhouette encapuchonnée.

– Nous sommes envoyés par… commença fièrement Spica.

– … par une personne trop importante pour que nous puissions révéler son nom à un inconnu qui nous menace d'une lance ! l'interrompit Ombrage.

Du groupe s'élevèrent quelques rires.

– Très bien. Comme il vous plaira. En attendant, donnez-moi vos armes ! ordonna la silhouette d'un ton menaçant, en avançant d'un pas.

Juste à cet instant, un effroyable fracas, semblable à une tempête de foudres, fit trembler le ciel et la terre. Ombrage sursauta. Il n'avait pas entendu Queue-Tranchée rugir aussi férocement depuis le jour où ils s'étaient affrontés dans l'arène des Ogres. Instinctivement, il fit demi-tour pour répondre à l'appel de son ami, mais une voix l'arrêta.

– Où penses-tu aller ?

La pointe d'une lance s'approcha du cou de Spica. L'idée que ces gens puissent faire du mal à son amie fit frémir le jeune Elfe.

Ombrage analysa rapidement la situation : ils n'avaient d'autre choix que de se rendre. Trois silhouettes encapuchonnées, surgies du tunnel, barraient l'unique voie de fuite.

– D'accord, soupira-t-il à contrecœur en levant les mains.

– Mais nous ne pouvons pas capituler ! protesta Spica.

– D'accord, répéta-t-il d'une voix basse mais ferme.

Il délaça la ceinture à laquelle Poison était accrochée et la lâcha à terre. Spica se défit de son arc et de son carquois.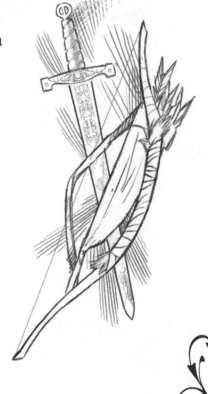

Alors qu'on les emmenait, les poings liés, Ombrage jeta un dernier regard sur l'entrée du tunnel. De l'extérieur, elle ressemblait à la bouche grande ouverte d'un Dragon, aux crocs parcourus par les lézards rouges.

Tout sur cette île semblait lié aux Dragons bleus…
S'agissait-il de la terre légendaire sur laquelle naissaient ces fières créatures ?

Stellarius lui en avait parlé il y a fort longtemps. Mais cela paraissait impossible : si c'était le cas, ses habitants auraient été leurs alliés, et non ces ennemis qui les avaient capturés.

Ombrage pensa avec amertume que ni Poison ni l'Anneau de Lumière ne l'avaient averti du danger.

Comme Floridiana l'avait prédit, il était seul.

DEUXIÈME PARTIE

LES ELFES NOIRS

7

LE VENTRE DE L'ÎLE

Les mystérieux Elfes encapuchonnés avaient conduit Ombrage et Spica jusqu'à une petite clairière entre les roches. À présent, ils débattaient à voix basse. Ils ne paraissaient pas d'accord sur ce qu'il convenait de faire.

Spica regarda autour d'elle. Derrière eux, on apercevait encore la bouche du Dragon par laquelle ils étaient sortis. Elle pullulait de lézards rouges qui semblaient lui donner vie.

Au-dessus de leurs têtes, l'étroite bande de ciel resplendissait, illuminée par les rayons du soleil, mais la tiédeur de l'air ne suffisait pas à réchauffer les deux jeunes gens trempés jusqu'aux os après leur immersion dans les eaux du lac. Pourtant Ombrage ne ressentait pas le froid : il ne pensait qu'à Queue-Tranchée et à son rugissement. Il aurait voulu courir vers lui pour le rassurer… mais c'était impossible. Il regarda ses mains liées et soupira.

– ... maintenant ils sont là, chuchota un des inconnus.

– ... d'autres pourraient arriver par la Voie du Dragon, nous sommes en danger ! intervint un autre.

Ombrage tentait de saisir quelques bribes de la discussion, lorsque l'encapuchonné le plus grand, qui était probablement le chef, s'approcha d'eux.

– Vous deux, en route ! leur ordonna-t-il sèchement, en tirant la corde à laquelle Ombrage et Spica étaient attachés.

Il avançait rapidement le long d'un sentier pierreux, ne faisant halte que de temps en temps pour s'assurer que les deux prisonniers étaient toujours derrière lui. Il marchait si vite que les jeunes gens avaient du mal à le suivre sur ce terrain accidenté. Ils pénétrèrent dans un labyrinthe d'étroits couloirs rocheux. Un vrombissement étouffé parcourait les roches, comme si l'île elle-même respirait. Soudain quelque chose obscurcit le ciel. Leur guide s'arrêta. Un choc violent secoua les rochers, et un rugissement lugubre résonna le long du sentier. Tout à coup les pierres vacillèrent autour d'eux, et plusieurs d'entre elles se mirent à rouler sur le chemin, transformant la configuration des lieux.

L'encapuchonné attendit. Apparemment, il ne s'inquiétait pas.

– Que se passe-t-il ? demanda Spica, plus fascinée qu'effrayée.

L'inconnu ne répondit pas. Quand les pierres cessèrent de trembler, il se remit en route d'un bon pas.

– Où nous emmenez-vous ? osa demander Ombrage.

– Voulez-vous me faire croire que vous ne saviez

pas où vous conduisait la Voie du Dragon ? se décida-
t-il à répondre. Personne n'aurait pu la trouver sans
connaître son existence, et personne ne s'y aventure
sans une bonne raison !

– Nous avions une bonne raison, répliqua Ombrage.

Puis, encouragé par ce bref dialogue, il continua :

– Pourquoi tant de mystère ?

– Ça ne vous regarde pas, coupa l'inconnu.

Il s'arrêta et lança un regard soucieux vers le ciel.

Une ombre passa au-dessus d'eux, obscurcissant
un instant le sentier. Un autre choc retentit au loin,
au-delà des pierres.

– Libérez-nous et nous lui ordonnerons de cesser,
dit Ombrage.

Spica, surprise, regarda son ami.

Mais le grand Elfe avait parfaitement compris. Il se
retourna et fixa Ombrage droit dans les yeux.

– N'espère pas qu'il puisse vous aider, siffla-t-il. Ton
Dragon ne nous trouvera pas. Pas ici, et encore moins
là où nous nous dirigeons.

Spica tressaillit et leva les yeux vers le ciel : est-ce
que cette ombre qui ressemblait à un nuage était vraiment la silhouette de Queue-Tranchée ?

– Même ses foudres les plus puissantes ne pourront

rien pour vous, continua l'inconnu. Il se lassera bientôt de vous chercher, tu peux en être sûr.

– Il ne se lassera pas, martela Ombrage d'une voix assurée.

Queue-Tranchée aurait donné sa vie plutôt que de l'abandonner, il en était certain. Cette pensée le consolait et l'inquiétait à la fois.

– S'il ne peut ni nous rejoindre ni nous aider, alors tu peux nous dire où nous allons, insista Ombrage. Il n'y a aucun risque que nous retrouvions notre route dans ce labyrinthe qui change en permanence.

L'encapuchonné le fixa un instant.

– Dans le Ventre de l'île. C'est là que nous nous rendons. Maintenant en route, nous y sommes presque, répondit-il.

Il se remit en marche.

Le Ventre de l'île… ce nom fit frissonner Spica.

Au bout de quelques minutes, le couloir rocheux s'élargit, et le sentier leur offrit une vision inattendue.

Au fond d'un vaste et profond cratère, limité par une enceinte naturelle de roches noires, se nichait un village de maisons de pierre, séparées les unes des autres par des prés d'herbe verte et moelleuse, des enclos et des arbres chargés de fruits d'un violet luisant. De là, Ombrage pouvait voir le sentier qui descendait sur le flanc du cratère, pour se perdre parmi les maisons. Le village ressemblait de manière frappante à celui des pêcheurs de l'île des Chevaliers ; mais ici tout était plein de vie. De petites silhouettes s'affairaient parmi les habitations au milieu d'étendages de linge qui séchait au soleil. Des filets de fumée s'élevaient de plusieurs maisons, et des coups répétés indiquaient qu'un forgeron était au travail. Çà et là, des prismes noirs flottaient au-dessus de leur base semi-sphérique, scintillant dans la lumière du jour... une lumière chaude, floue, comme si une chape translucide recouvrait le sommet du cratère.

— C'est incroyable ! Un village d'Elfes ! souffla Spica.

— Oui... d'Elfes Noirs, murmura Ombrage, stupéfait.

Le sentiment de familiarité qu'il éprouvait pour ce lieu, ainsi que le symbole de la lune et du soleil entrecroisés qu'il avait aperçu à l'entrée du tunnel sous-marin lui avaient fait comprendre la vérité.

L'inconnu se retourna.

— J'avais donc raison, dit-il d'une voix rauque, tandis que sa capuche tombait sur ses épaules. Vous saviez parfaitement ce que vous trouveriez ici, ajouta-t-il en laissant le vent décoiffer ses cheveux noirs.

Son visage exprimait la colère.

Son ton fit sursauter Ombrage, qui croisa pour la première fois ces yeux noirs comme la roche de l'île.

Du village montèrent des cris de peur quand l'ombre de Queue-Tranchée passa encore une fois dans le ciel.

Tous coururent se cacher dans les maisons, en fermant portes et fenêtres.

– Pourquoi réagissent-ils ainsi ? gémit Spica. Nous ne sommes pas dangereux ! Si seulement nous pouvions leur expliquer…

L'inconnu la regarda et secoua la tête avec un rire triste.

– La raison de leur peur est simple : depuis de très nombreuses années, aucun étranger n'a abordé sur cette île. En ces temps obscurs, tout ce qui vient de l'extérieur représente un danger potentiel.

– Mais…

Il ne la laissa pas continuer.

– Mettez-vous bien ça dans la tête : aucune créature arrivée ici avec de mauvaises intentions n'a jamais réussi à quitter le Ventre de l'île. Si vous êtes des amis, comme vous le prétendez, alors nous vous accueillerons. Mais si vous êtes alliés des Sorcières, regardez bien le ciel, car c'est la dernière fois que vous le voyez, conclut-il d'un ton sinistre.

Il se tut et se remit à descendre vers le village, traînant derrière lui les deux Elfes prisonniers.

Ombrage n'osa pas poser d'autres questions. Son cœur débordait d'émotion et aussi de crainte.

C'était donc là que son père avait grandi, là où il avait vécu avant de devenir chevalier. Il avait couru dans ces ruelles quand il était enfant… Ce lieu représentait une partie de son passé.

Et c'était là qu'était probablement dissimulé le troisième fragment, ainsi que le secret des Chevaliers évoqué dans le journal de son père.

8
CAPENOIRE

Le cœur d'Ombrage et de Spica se serra : un silence spectral les accueillit à l'entrée du village. Les portes et fenêtres barricadées, les rues désertes et ce ciel laiteux créaient une atmosphère irréelle.

Ombrage sentait la peur sourdre des portes en bois sculpté, et se répandre dans les ruelles. Il se retourna vers le sentier abrupt par lequel ils étaient descendus et se rendit compte que plusieurs soldats vêtus de noir les surveillaient. Le bord du cratère, au fond duquel reposait le village, était creusé de larges meurtrières hérissées de nuées de flèches pointées sur eux.

Tandis qu'ils longeaient les maisons, Ombrage remarqua derrière un volet deux yeux qui le fixaient. L'Elfe Noir s'en aperçut et donna une secousse à la corde afin qu'il ne ralentisse pas.

Le volet se referma en grinçant et Ombrage pressa le pas.

– Où nous emmènes-tu ?

– À la Bouche de la Vérité, répondit sèchement leur guide.

Le jeune Elfe jeta un coup d'œil à Spica, qui avançait péniblement à ses côtés, épuisée.

– Verrons-nous votre roi ? demanda-t-elle.

L'Elfe Noir se retourna à peine.

– Vous ne connaissez pas les Elfes Noirs, étrangers. Nous n'avons pas de roi.

– Votre chef, alors. Nous devons lui parler, insista Ombrage.

– Vous rencontrerez le Sage et les deux Conseillers quand ils le décideront et s'ils le veulent bien.

Ce fut la seule réponse qu'il obtint.

Ils pénétrèrent parmi les arbres d'un petit bois et, quelques instants plus tard, atteignirent un édifice en pierres noires qui semblait encastré dans le flanc de la montagne. On les fit entrer par une porte sur laquelle était gravée la silhouette sinueuse d'un Dragon. Ils parcoururent un corridor illuminé de globes rouges, identiques à ceux qu'ils avaient déjà vus. Les murs étaient décorés d'images de Dragons. La chaleur se fit de plus en plus suffocante au fur et à mesure qu'ils avançaient. Spica et Ombrage

se demandaient ce qui les attendait au bout du couloir. Ils débouchèrent dans une grande salle au plafond en coupole, soutenu par de hautes colonnes. De vastes escaliers semi-circulaires convergeaient vers le centre de la pièce, au bord d'un gouffre rougeoyant enjambé par une passerelle de métal. L'Elfe Noir leur fit descendre l'escalier et traverser la passerelle : sous eux s'ouvrait un abysse de magma bouillonnant d'où montait un souffle brûlant. Spica s'accrocha au bras d'Ombrage.

De l'autre côté se dressait une haute estrade, avec trois sièges en bois sculpté ; elle était flanquée de deux portes noires comme la nuit. L'Elfe les entraîna par une de ces entrées. Une soudaine fraîcheur enveloppa les jeunes gens, qui se retrouvèrent dans une salle sombre, pleine de cellules vides. En haut, une petite fenêtre laissait filtrer un pâle faisceau de lumière dans lequel dansaient des grains de poussière.

– Voilà. Vous attendrez le Jugement ici, déclara l'Elfe en les enfermant dans deux cellules séparées après les avoir détachés.

– Quand aura-t-il lieu ? lui demanda Ombrage en le saisissant par la manche pour qu'il ne s'en aille pas sans répondre.

– Quand le Sage le décidera.

– Nous n'avons que peu de temps, plaida Ombrage. C'est une question de vie ou de mort… Dis-le à votre Sage.

Les yeux noirs de l'Elfe le scrutèrent.

– Avec les Sorcières, c'est toujours une question de vie ou de mort !

– Tu as raison, mais ce n'est pas ma vie qui me préoccupe. Il s'agit d'innocents, prisonniers d'un terrible sortilège.

L'Elfe retira son bras et demeura silencieux.

Ombrage ne savait que dire d'autre. L'île des Chevaliers n'avait plus beaucoup de temps : comment pouvait-il convaincre cet inconnu de leur faire rencontrer le Sage au plus tôt ? D'un geste rapide, il arracha le médaillon avec le soleil et la lune que son père lui avait donné avant le combat final contre Sorcia, et le brandit. C'était tout ce qu'il lui restait de Cœurtenace.

Le regard de l'Elfe Noir devint glacial.

– Où as-tu pris cela ? siffla-t-il.

Ombrage adressa un bref coup d'œil à Spica, qui observait la scène derrière les barreaux.

– Il appartenait… il appartient à mon père. Il me l'a confié, et je le conserverai jusqu'à ce que je puisse

le lui rendre, articula-t-il lentement, comme si chaque parole lui coûtait.

– Si vous avez un cœur, écoutez au moins ce que nous avons à vous dire ! Sinon beaucoup d'innocents mourront ! intervint Spica. Et il n'y aura plus aucun espoir pour son père !

Les yeux noirs de l'Elfe restèrent fixés sur Ombrage.

– Tu mens ! grinça-t-il, les lèvres serrées. Ton père ? Comment une créature aux cheveux verts, avec une étoile au front, pourrait-elle être des nôtres ?

– Mon père est né sur cette île, pas moi. Ma mère était une Elfe des Forêts, et j'ai grandi au royaume des Étoiles. Elle aussi en est originaire, ajouta-t-il en montrant Spica.

Les sourcils de l'Elfe se froncèrent encore plus.

– Le fait que tu prétendes connaître les anciens royaumes et leurs habitants ne prouve rien. Tu pourrais t'être procuré ce médaillon de bien des manières, par la ruse et la trahison. Et il en va de même pour l'armure de chevalier que tu portes, maugréa-t-il.

– Mais c'est Floridiana qui nous a envoyés ici ! C'est elle qui l'a fait chevalier, après qu'il a vaincu Sorcia ! s'exclama Spica.

– Vaincu Sorcia ! répéta l'Elfe Noir avec un rire

amer. Qui me dit que vous ne mentez pas ? Nous ne pouvons pas prendre ce risque. Les conséquences seraient trop graves pour nous tous… et pour beaucoup d'autres.

– Nous disons la vérité ! Comment puis-je t'en convaincre ? Regarde mon épée et l'arc de Spica ! L'épée appartenait à mon père : c'est une Épée du Destin, son initiale, le C de Cœurtenace, est gravée sur la garde. Personne ne peut l'empoigner à moins d'être du même sang que son propriétaire ! Quant à l'arc, Floridiana en personne l'a offert à Spica.

L'Elfe fixa le médaillon. Le nom de Cœurtenace, au lieu de le persuader, accentua encore sa méfiance.

– Ton seul moyen de me convaincre est de surmonter l'épreuve de la Bouche de la Vérité. Fais-le et nous te croirons, mais en attendant… poursuivit-il avec froideur, le Mal arbore de nombreux visages. Le mensonge est l'un d'entre eux.

Ombrage le saisit de nouveau par la manche et lui tendit le médaillon.

– Qui que tu sois, prends ce bijou. Montre-le au Sage. Rapporte-lui ce que nous avons dit et prie-le de nous entendre avant qu'il ne fasse nuit. Le destin de l'île des Chevaliers en dépend.

L'Elfe plissa le front.

– Aucun d'entre nous ne se serait débarrassé ainsi de son médaillon.

– Je ne m'en débarrasse pas. Tu me le rendras, répliqua Ombrage.

La main de l'Elfe Noir s'avança pour saisir le pendentif.

– Je ne sais s'ils accepteront de se plier aux exigences d'un étranger, murmura-t-il.

– Je ne demande qu'à subir l'épreuve de la Bouche de la Vérité le plus tôt possible, je ne cherche pas à l'éviter, expliqua le jeune chevalier.

– Quel risque courez-vous à écouter ce que nous avons à dire ? renchérit Spica.

L'Elfe la dévisagea. Il fit disparaître le médaillon dans sa poche. Puis se remit à scruter Ombrage, comme s'il cherchait à reconnaître quelqu'un à travers ses traits.

– Je ne sais si tu dis vrai, mais en tout cas, jeune Elfe, tu ne manques pas de courage. Je parlerai au Sage. La vérité n'a jamais nui à personne.

Puis il disparut dans l'obscurité de la salle.

Ses pas résonnèrent, mais il s'arrêta soudain.

– Je m'appelle Capenoire, dit-il simplement. Je

reviendrai bientôt pour vous dire ce que nos autorités auront décidé.

— Il faut le tuer ! s'exclama un des Elfes. Il a presque déchiqueté Fortepoigne !

— Il était sur le point de le dévorer ! ajouta un autre en frissonnant.

— Je n'ai jamais vu un Dragon aussi enragé, observa un troisième.

À l'extérieur de la salle de la Bouche de la Vérité, sous les arbres aux feuilles sombres, de nombreux Elfes Noirs s'étaient réunis.

— C'est parce que tu n'as jamais rencontré un Dragon sauvage affamé ! marmonna quelqu'un dans l'ombre.

Son voisin secoua la tête.

— Dans ce cas, il ne s'agissait pas de faim…

— Où est Fortepoigne ? l'interrompit un autre.

— À l'infirmerie, avec la fille de Capenoire. Le coup qu'il a reçu a fendu son armure ; il avait une coupure au front, et certainement quelques côtes cassées.

– Qu'est-ce qu'il voulait donc faire ? tonna soudain une voix dans le bois.

Capenoire apparut devant les Elfes assemblés.

– N'avais-je pas ordonné aux apprentis de ne pas sortir du cratère et de se tenir loin du Dragon ?

Un silence embarrassé s'ensuivit.

– Alors ? Avez-vous tous perdu la langue ? Que

quelqu'un me raconte ce qui s'est passé ! ordonna-t-il.

– Fortepoigne a fait une sortie à l'extérieur et a tenté d'approcher le Dragon, répondit un Elfe appuyé contre un arbre. Il était avec les autres apprentis, et il s'en est fallu de peu qu'il perde la vie. Œilvif est intervenue : elle a détourné juste à temps l'attention du fauve grâce à son sifflet enchanteur.

– Ce Dragon est dangereux ! s'exclama un des présents.

– Et maintenant il est encore plus enragé, ajouta un autre. S'il trouve le moyen de franchir la protection magique créée par les tours le long du cratère, alors il n'y aura plus qu'une solution : l'abattre.

– Il a compris que nous nous cachons à l'intérieur de la montagne et, à cause de la bravade de Fortepoigne, désormais il nous considère comme des ennemis.

– C'est une bête sauvage ! hurla quelqu'un.

Capenoire serra les doigts autour du médaillon d'Ombrage qu'il conservait dans sa poche. Il secoua la tête.

– Peut-être. Ou bien il est tout simplement fidèle, murmura-t-il.

– Fidèle ?

– Que veux-tu dire ?

– Je veux dire que tant qu'il pensera que son chevalier est pris au piège ici, il le cherchera, même s'il
doit détruire l'île tout entière.

Les paroles de Capenoire furent suivies d'un silence
chargé de stupeur.

– Chevalier ?

– Penses-tu que le jeune Elfe soit vraiment chevalier ? Tu sais bien que c'est impossible ! Les chevaliers
ont tous été tués !

– Ou transformés en pierre !

– Il est trop jeune !

– Il est jeune, mais pas trop, rétorqua Capenoire.
Peut-être que les Chevaliers de la Rose ne sont pas
tous morts ou pétrifiés. Quoi qu'il en soit, ce Dragon
a choisi son cavalier. Vous savez comme moi que sa
loyauté et sa vie seront exclusivement dédiées à cet
Elfe aux cheveux verts, qu'il le mérite ou non.

– D'après les apprentis, le Dragon porte des traces
de torture sur le corps. Les Sorcières pourraient l'avoir
obligé à les servir, et son soi-disant chevalier est probablement leur allié !

– Aucun Dragon ne montrerait un attachement
aussi fort envers quelqu'un qui lui aurait fait du mal.

Moi aussi j'ai vu ses cicatrices. Ce sont peut-être d'anciennes blessures de combat : vous savez tous que les Dragons bleus sont de prodigieux guerriers.

Juste à ce moment, Queue-Tranchée survola de nouveau le sommet de la montagne, décrivant de larges cercles dans les airs.

Capenoire serra les lèvres. Le jeune aux cheveux verts avait raison : le Dragon ne renoncerait pas.

Il devait rapidement résoudre ce problème.

– Je n'ai pas le temps de punir ces apprentis comme ils le méritent. Ils ont été imprudents ; leur inconscience nous a tous mis en danger… et ils ont risqué la vie de ce Dragon, ajouta-t-il à voix basse.

Puis il s'éloigna d'un pas pressé.

– Où vas-tu ?

– Là où je dois ! tonna-t-il.

Et, sans se retourner, il se hâta vers la maison du Sage.

9
LA BOUCHE DE LA VÉRITÉ

Assis dans sa cellule, le front appuyé contre les barreaux, Ombrage contemplait par la petite fenêtre les dernières lueurs du jour qui faiblissaient. Il soupira. De temps en temps ils entendaient le rugissement de Queue-Tranchée au-dessus d'eux.

– Tu verras, il nous trouvera, dit Spica, qui lisait dans l'esprit de son ami.

Ombrage secoua tristement la tête.

– Comment le pourrait-il ? Ce cratère est protégé par un puissant sortilège ; quand nous avons survolé l'île, nous ne l'avons pas vu, t'en souviens-tu ? Le sommet de la montagne nous a semblé plat...

– Magie de Fée ? demanda Spica, en arpentant sa cellule de long en large.

– Oui, je crois. Et s'il en est ainsi, nous avons sûrement affaire à un peuple ami.

Un hurlement désespéré vibra dans le ciel.

Le jeune Elfe secoua la tête.

– J'espère qu'ils ne lui ont pas fait de mal, et que lui n'a blessé personne. Ces gens ne sont pas méchants, mais Queue-Tranchée peut être très dangereux.

– Méchants non, mais vraiment méfiants : ils nous ont accueillis comme des criminels, ils nous ont entravés sans aucun motif, bougonna Spica en passant les doigts sur les traces des cordes autour de ses poignets.

– N'oublions pas ce qui s'est produit sur l'île des Chevaliers. Ils ont au contraire de bonnes raisons de craindre les étrangers.

Ombrage ferma les yeux et essaya d'établir un contact mental avec Queue-Tranchée. Dans son esprit apparut l'image d'une main forte et sûre, posée sur le museau du Dragon. C'était la main de son père, Cœurtenace, le jour où Ombrage lui avait permis de voler sur le dos de Queue-Tranchée, avant de partir pour le château de Sorcia. Il ignorait alors que Cœurtenace était son père. Il pensait simplement confier son ami Dragon à un chevalier brave et expérimenté.

Un autre rugissement terrifiant résonna au-dessus du cratère. Ombrage regarda vers le haut, à travers la fenêtre, mais il ne vit rien. De nouveau il ferma les yeux. Lui revint en mémoire le jour où, pour la

première fois, il avait chevauché Queue-Tranchée, au royaume des Ogres. Ce jour-là, leur amitié était née. Ensemble, ils avaient appris à se faire confiance.

Soudain, il eut l'impression d'éprouver les mêmes sentiments que son Dragon. Ombrage percevait son inquiétude qui augmentait, et, avec elle, la rage. Queue-Tranchée était revenu à l'état sauvage, comme au jour de leur rencontre. Toute la tristesse et la solitude du Dragon explosèrent dans sa tête ; Ombrage fut submergé de douleur et d'angoisse, entraîné par une force invisible. Il s'agrippa aux barreaux pour ne pas tomber. L'Anneau de Lumière tinta contre le métal, qui se glaça dans l'instant.

La voix de Spica le tira de cette étrange sensation.

— Que se passe-t-il?

L'Elfe ouvrit les yeux; une douleur lancinante oppressait ses tempes.

— Si je ne trouve pas un moyen de prévenir Queue-Tranchée, il anéantira l'île. J'ai ressenti sa rage, articula-t-il dans un halètement.

— Si seulement il réussissait à venir jusqu'ici…

— Jusqu'ici? répéta une voix dans l'ombre. Si votre Dragon parvenait à repérer notre village, nous devrions l'abattre : est-ce cela que vous voulez?

— Personne ne peut atteindre un Dragon bleu! s'exclama Spica.

Un globe rouge s'alluma, et le visage de Capenoire apparut devant eux.

— En es-tu si certaine? Les Dragons meurent, comme toutes les créatures. Ils sont puissants, leur vie est longue, mais les combats et la cruauté en ont tué beaucoup.

La jeune Elfe lança un regard désespéré vers Ombrage. Le visage de son ami s'assombrit encore plus.

— Que lui est-il arrivé? demanda-t-il.

L'étoile de son front brilla.

L'Elfe Noir parut impressionné par ce scintillement.

– Plusieurs des nôtres ont tenté de l'approcher.

– Étaient-ils armés ? s'alarma Ombrage.

Capenoire acquiesça et le jeune Elfe serra les dents.

– Il faut que je parvienne à le calmer, sinon il finira par blesser quelqu'un ! Tu sembles connaître les Dragons. S'il te plaît, laisse-moi le voir, ou bien ton peuple sera en danger, implora Ombrage.

– Mon peuple n'est-il pas aussi le tien ? Puisque tu prétends être le fils de Cœurtenace.

Ombrage allait répondre, mais Capenoire secoua la tête.

– Épargne tes paroles. Je sais que tu dis vrai.

Dans le regard d'Ombrage brilla une étincelle d'espoir.

– Nous aideras-tu ? demanda-t-il.

– Je vous ai déjà aidés. Il y avait une chose à faire, et je l'ai faite, déclara Capenoire. Vous subirez l'épreuve de la Bouche de la Vérité cette nuit même.

– M'emmèneras-tu ensuite auprès de Queue-Tranchée ? reprit Ombrage.

Spica eut l'impression que les yeux de Capenoire s'adoucissaient.

– Tu sembles certain de surmonter l'épreuve, et c'est ce que je te souhaite, commenta l'Elfe Noir en ouvrant les cellules. Venez. Que le destin s'accomplisse.

Sans les attacher, il les conduisit dans le corridor par lequel ils étaient entrés.

Queue-Tranchée ne savait que penser. La montagne qui se dressait sous lui avait quelque chose d'étrange et de mystérieux.

Ombrage était là en bas, certainement en danger. Mais il était invisible : le Dragon n'entendait plus battre son cœur.

Ces petits Elfes qui avaient eu l'impudence de l'agresser avaient probablement attaqué aussi son cavalier.

Ces lances brillantes avaient réveillé en lui les anciens cauchemars d'esclavage et de torture. On ne le remettrait plus en cage !

Mais il ne s'en irait pas sans Ombrage.

La nuit tomba. Éreinté et plein de rage, le Dragon atterrit sur une des pierres noires volantes qui entouraient l'île. L'électricité ambiante lui fit du bien, mais il ne dormirait pas. Il ne voulait pas être pris par surprise. Au matin, il poursuivrait ses recherches.

Lentement, il s'enroula sur lui-même et s'abrita dans ses ailes, en laissant juste la tête dehors. Il regarda la mer, puis leva les yeux et aperçut une étoile qui brillait dans le ciel. Sa lumière était intense, comme celle qui scintillait sur le front de son cavalier, mais elle était trop lointaine pour pouvoir le consoler.

Il demeura un long moment en silence à écouter le vent et les vagues. Puis, fixant l'étoile, il émit un cri de douleur si poignant que l'île elle-même sembla en être bouleversée.

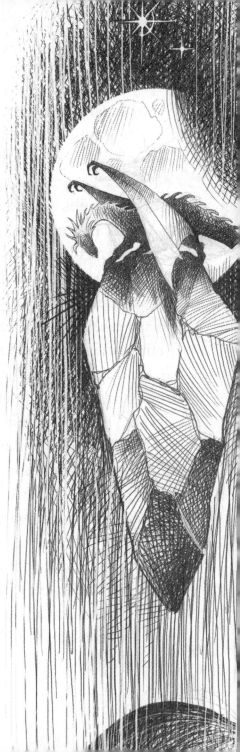

Capenoire et les deux jeunes Elfes débouchèrent dans la grande salle en demi-cercle où se trouvait l'estrade. Mais cette fois elle était remplie de visages inconnus, éclairés par le reflet du magma incandescent qui bouillonnait dans le gouffre : la Bouche de la Vérité. Des nuages de vapeur montaient jusqu'au plafond en coupole, dans lequel s'ouvrait un orifice.

Ombrage prit la main de Spica et la serra fortement. La passerelle de métal avait été déplacée : elle ne traversait plus le gouffre en entier, mais aboutissait à une petite plateforme rocheuse flottant au-dessus du vide, au centre de l'abysse flamboyant.

Capenoire leur fit signe d'avancer. Il les conduisit devant l'estrade, garnie de trois sièges où étaient assis deux Elfes : un vieillard à la chevelure argentée et aux yeux sombres, qui devait être le Sage, et une Elfe à l'expression austère et aux cheveux de jais, avec une cicatrice sur le visage, qui était probablement la Conseillère.

Capenoire leur adressa un léger signe de la tête et rejoignit rapidement le troisième siège, mais il ne s'assit pas. C'était donc lui, le second Conseiller.

– Devant les Elfes Noirs assemblés, deux créatures du royaume de la Fantaisie comparaissent pour l'épreuve de la Bouche de la Vérité, annonça-t-il.

Sa voix sonnait clair dans le silence de la salle.

Le vieil Elfe se leva et demanda :

– Acceptez-vous notre exigence de vous y présenter ensemble ? Le mensonge et la vérité de l'un seront aussi ceux de l'autre !

Ombrage et Spica répondirent en chœur d'un ton ferme :

– Oui.

L'ancien les observa d'une mine sévère, et l'Elfe à la cicatrice les dévisagea avec un air de défi.

– Que l'épreuve commence. Capenoire… appela l'ancien.

Capenoire s'inclina légèrement et descendit de la scène. Il conduisit les jeunes Elfes le long la passerelle métallique et les fit monter sur la pierre volante au-dessus du magma.

– En quoi consiste l'épreuve ? l'interrogea Ombrage.

La chaleur dégagée par le cratère lui brûlait le visage.

– Des questions vous seront posées. Dites la vérité et vous n'aurez rien à craindre, répondit l'Elfe Noir.

Puis il recula d'un pas et, d'un air sombre et inquiet, ajouta :

– Exprimez-vous d'une voix forte et claire et souvenez-vous que, dans tous les cas, la réponse de l'un sera celle de l'autre. Vous en subirez tous deux les conséquences. Qui de vous deux parlera au-dessus de la Bouche de la Vérité ? demanda-t-il en fixant Ombrage dans les yeux.

Le jeune Elfe avala sa salive et regarda Spica.

– Moi, proposa-t-il en remarquant un léger sourire sur les lèvres de son amie.

Capenoire acquiesça, et sembla même approuver ce choix. Il fit volte-face et parcourut la passerelle en sens inverse. Puis il actionna une manette et la structure de métal se déplaça sur le côté, isolant la pierre sur laquelle se tenaient Ombrage et Spica. La plateforme rocheuse tangua légèrement, mais elle était assez large pour leur fournir un bon appui.

Spica s'agrippa au bras d'Ombrage et jeta un coup

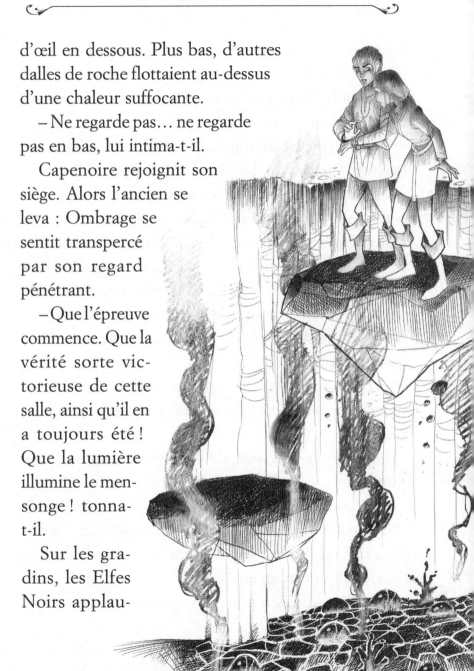

d'œil en dessous. Plus bas, d'autres dalles de roche flottaient au-dessus d'une chaleur suffocante.

– Ne regarde pas… ne regarde pas en bas, lui intima-t-il.

Capenoire rejoignit son siège. Alors l'ancien se leva : Ombrage se sentit transpercé par son regard pénétrant.

– Que l'épreuve commence. Que la vérité sorte victorieuse de cette salle, ainsi qu'il en a toujours été ! Que la lumière illumine le mensonge ! tonna-t-il.

Sur les gradins, les Elfes Noirs applaudirent jusqu'à ce que l'ancien lève la main pour réclamer le silence.

— Quels sont vos noms et d'où venez-vous ? demanda-t-il.

Ombrage prit une grande inspiration. L'air était tellement chaud qu'il lui brûlait la gorge.

— Mon nom est Audace, mais ceux qui me connaissent m'appellent Ombrage. La jeune Elfe qui m'accompagne se nomme Spica, du peuple des Elfes Étoilés. Quant à moi, j'ai plusieurs origines. Je suis né au royaume des Forêts, mais mon père était l'un des vôtres, et j'ai grandi au royaume des Étoiles. Ma patrie est le royaume de la Fantaisie, ajouta-t-il, le cœur battant.

À peine eut-il fini de parler qu'une pierre flottante se souleva et vint se placer à côté de celle des deux Elfes.

— On dirait une sorte de chemin, murmura Spica, stupéfaite.

— Déplacez-vous sur cette dalle. Si vous avez dit la vérité, elle vous soutiendra. Sinon, vous serez précipités dans la mer de feu avec vos mensonges, déclara l'ancien d'un ton sévère.

Ombrage déglutit puis, d'un pas assuré, sauta avec

Spica sur l'autre pierre, qui ondoya légèrement mais demeura en équilibre, tandis que la première dalle s'abîmait dans les profondeurs.

Une rumeur anxieuse traversa la salle.

– Qu'est-ce qui vous a amenés ici ? les interrogea encore l'ancien.

– Une demande de la Reine des Fées. Elle nous a chargés de sauver l'île des Chevaliers, qui a été pétrifiée par le pouvoir maléfique de Sorcia.

Il y eut un tressaillement dans la foule, et quelques chuchotements étonnés.

Une autre pierre remonta du fond de la Bouche de la Vérité et se mit à flotter devant eux. Les jeunes gens se déplacèrent encore. Un murmure parcourut les gradins.

– Sauver l'île des Chevaliers ? Comment comptez-vous vous y prendre ? Et pourquoi la Reine Noire ne vous a-t-elle pas empêchés de venir jusqu'ici ? s'exclama l'ancien.

– Sorcia a été vaincue, répondit Ombrage. Son château a été détruit et ses esclaves libérés.

– Si ce que tu dis est vrai, marche donc sur la pierre ! s'exclama quelqu'un.

De nouveau, une pierre volante vint s'accoler à celle

des jeunes gens, qui la rejoignirent sans tomber dans l'abysse. Des applaudissements et des cris de satisfaction explosèrent. Spica sourit : la défaite de Sorcia les mettait en joie, il s'agissait donc d'un peuple ami, ainsi qu'Ombrage l'avait supposé.

– Qui l'a vaincue ? demanda le Sage, ne parvenant pas à masquer sa stupeur.

– Une alliance de peuples gnomes, elfes et nains, une forte amitié et un mage, avec l'aide d'un vaillant Dragon arraché à l'esclavage des Ogres, répondit Ombrage.

Un autre pas les rapprocha du salut.

– Si Sorcia a vraiment été tuée, pourquoi l'île des Chevaliers demeure-t-elle pétrifiée ?

– Sorcia a été vaincue, mais elle n'est pas morte. Voilà pourquoi le puissant sortilège de pétrification n'a pas été rompu : le sommeil dans lequel est tombée la Reine Noire a rendu son maléfice éternel. Le seul moyen de ramener l'île à la vie est de reconstituer le Bouclier des Chevaliers, qui s'est brisé lorsque le général Hautemer a trahi son serment pour s'allier à Sorcia.

Le public était en émoi ; l'ancien dut lever de nouveau la main pour réclamer le silence. Une autre pierre s'éleva des profondeurs ; Ombrage et Spica y montèrent pour attendre la question suivante.

Mais l'ancien s'assit et déclara :

– Tu es porteur de nombreuses nouvelles, jeune Elfe. Puisque la Reine des Fées vous a choisis, je m'incline devant sa volonté. Si quelqu'un d'autre souhaite poser des questions, qu'il le fasse, et il saura la vérité.

L'Elfe assise à côté de lui quitta son siège et demanda d'une voix ferme :

– Comment avez-vous trouvé notre île ? Et par quelle magie avez-vous découvert la Voie du Dragon qui mène jusqu'aux portes de nos maisons ?

– Maréa, la Fée des Mers Orientales, nous a révélé l'existence de votre île, et nous a indiqué le tunnel sous l'eau, dit Ombrage, gagnant ainsi un nouveau pas.

– Êtes-vous venus dans l'intention de nous nuire ? les interrogea-t-elle.

– Non. Nous sommes ici pour sauver des innocents, répliqua Ombrage.

La Conseillère recula et reprit place sur son siège.

Ombrage se sentit vaciller. Spica s'agrippait désespérément à son bras. Ils étaient épuisés, et la chaleur, intolérable, accentuait encore la difficulté de l'épreuve.

Mais ce n'était pas fini. Ce fut le tour de Capenoire.

– Tu as dit que tu étais le fils d'un Elfe Noir, et que tu avais hérité de son Épée du Destin. Qui était-il ? demanda-t-il en jetant un coup d'œil à l'ancien.

– Mon père est toujours vivant, mais il a été pétrifié par Sorcia le jour où nous l'avons vaincue. Il s'appelle Cœurtenace.

À l'évocation de ce nom, un cri jaillit du parterre. Ombrage se retourna mais ne parvint pas à voir qui l'avait lancé. Les visages lui paraissaient tous semblables.

Une autre plateforme de pierre ondoya devant eux. Ombrage et Spica peinaient à garder l'équilibre.

Capenoire demeura immobile, le visage blême.

– Avant d'effectuer le dernier pas, dis-moi : le Dragon qui survole ces terres depuis plusieurs jours… qui de vous deux a-t-il suivi ? Comment avez-vous réussi à le convaincre de vous accompagner ? Si vraiment les cicatrices qui lézardent sa carapace lui ont été infligées par les Ogres, est-ce la magie de Floridiana qui vous a permis de conquérir sa confiance ?

Ombrage fixa l'Elfe Noir, mais son visage lui paraissait flou. Il ne résisterait pas longtemps à cette terrible chaleur. Il battit des paupières pour tenter de demeurer lucide.

– Je ne sais pour quelle raison Queue-Tranchée m'a suivi. Peut-être parce que je l'ai libéré, parce que j'étais la seule créature qui, bien que possédant une arme, ne l'a pas utilisée contre lui. Les Ogres le faisaient lutter contre d'autres Dragons. Il m'a aidé à combattre Sorcia sans rien demander en échange, sauf de l'amitié et du respect. Je lui dois la vie. Laissez-moi lui parler et il se calmera. Ne lui faites pas de mal !

À ce moment, la dernière pierre s'arrêta devant les deux jeunes Elfes, leur donnant la possibilité de rejoindre la rive du gouffre, sur la terre ferme. Dans un ultime effort Ombrage et Spica accomplirent le dernier pas. Puis, éreintés, ils s'écroulèrent sur le sol. Dans la brume qui enveloppait son esprit, Ombrage crut entendre un rugissement lointain et désespéré.

Il ferma les yeux et s'évanouit.

10
Rencontres et Révélations

mbrage se réveilla peu avant l'aube, dans un lit moelleux. Le cri désespéré de Queue-Tranchée résonnait encore dans ses oreilles, comme un cauchemar.

Il s'assit brusquement sur son lit. Une main se posa sur son épaule. En voyant apparaître dans la lumière pâle de la lanterne le visage de Capenoire, tout ce qui était arrivé la veille lui revint en mémoire.

— Il est temps de partir, dit doucement l'Elfe Noir.

La plainte du Dragon s'éteignit dans la pénombre et soudain Ombrage prit conscience qu'il n'avait pas rêvé.

— Queue-Tranchée ! murmura-t-il.

Et d'un bond, il fut sur pied.

Capenoire tendit sa main ouverte. Quelque chose brillait dans sa paume.

— Ceci t'appartient.

Ombrage prit entre ses doigts le médaillon de son père, soulagé.

Alors, ils les avaient crus !

Il l'enfila et le plaça sous sa tunique, puis il demanda d'une voix rauque :

– Où sommes-nous ? Que s'est-il passé ?

La flamme de la lanterne éclaira un lit contre un mur de pierre nu, et le visage de Spica, plongé dans le sommeil, prit une teinte dorée. Elle se tourna et enfouit sa tête sous les couvertures.

Capenoire fit un signe à Ombrage et le conduisit à l'extérieur de la chambre, en refermant la porte derrière lui.

– Ceci est ma maison. Vous avez réussi l'épreuve et maintenant vous êtes libres. J'ai promis de t'aider à rejoindre votre Dragon, et je dois donc t'amener à l'extérieur du cratère.

Capenoire montra au jeune Elfe une table de bois avec des mets disposés dessus.

– Tu dois avoir faim. Sers-toi.

À ce moment un grognement lointain fit sursauter le jeune chevalier.

– Il vaut mieux y aller… dit-il.

– D'abord mange et bois, puis nous irons à la rencontre de Queue-Tranchée. Tu as besoin de reprendre des forces.

Ombrage hésita, mais il dut reconnaître que Capenoire avait raison. Il s'assit sur le banc et prit un petit déjeuner.

– Où est-il ? demanda-t-il entre deux bouchées.

L'Elfe Noir sortit Poison d'une malle fermée à clef et la posa sur la table.

– Il campe dans la partie sud de l'île de la Lune Montante, près de la plus haute des pierres volantes, celle que nous appelons la Tour. De là, il peut surveiller tout le territoire.

– L'île de la Lune Montante ? répéta Ombrage.

– C'est un des nombreux noms que nous avons donnés à cette terre. Tu l'as vue du ciel : elle a la forme d'une lune, expliqua Capenoire.

– Nous faudra-t-il beaucoup de temps pour nous rendre auprès de Queue-Tranchée ?

– Non, nous l'aurons rejoint avant qu'il ne fasse jour, en empruntant les passages cachés dans le flanc de la montagne.

Ombrage but une longue gorgée d'eau fraîche et se sentit ragaillardi.

– Il y a donc plusieurs façons d'atteindre le Ventre de l'île ? releva-t-il.

– Oui, et tous ces passages sont protégés. Au cours du temps, nous avons ouvert de nombreux sentiers et issues de secours. La plupart sont secrets. Les habitants qui ne sont pas membres des Capes Noires ne les connaissent pas toutes.

– Les Capes Noires ?

– Les gardiens de l'île.

– Les Elfes des Forêts, ainsi que les Étoilés, ont aussi des gardes et des forteresses, mais je n'ai jamais vu une protection aussi extraordinaire… L'île était invisible avant que la Fée ne nous la fasse voir. Est-ce pour vous préserver des Sorcières ?

Un éclair d'orgueil et de douleur passa dans les yeux de Capenoire.

– Oui, mais pas seulement, jeune Audace. Depuis toujours, seules les foudres révèlent l'existence de cette terre. C'est ainsi que l'île se protège et garde son secret, dit-on. Certains pensent qu'il s'agit de magie, d'autres d'un phénomène naturel ; pour moi ce sont deux façons de dire la même chose. Ce n'est pas un

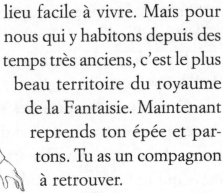

lieu facile à vivre. Mais pour nous qui y habitons depuis des temps très anciens, c'est le plus beau territoire du royaume de la Fantaisie. Maintenant reprends ton épée et partons. Tu as un compagnon à retrouver.

Ombrage obéit, attacha Poison à sa ceinture, puis jeta un coup d'œil vers la chambre où Spica dormait paisiblement, et il suivit Capenoire sur la route qui conduisait à l'extérieur du village, vers les tours de garde.

Ombrage n'avait jamais vu de telles fortifications : les tours, les escaliers, les salles, tout avait été taillé dans la roche vive. Il suivit Capenoire à travers les couloirs presque déserts, uniquement parcourus par des soldats qui se mettaient au garde-à-vous devant l'Elfe Noir, jusqu'à ce qu'ils parviennent au sommet d'une tour.

Grâce à une clef accrochée à sa taille, Capenoire ouvrit une des portes qui donnaient sur l'extérieur du cratère, et sortit sous un ciel rosé qui annonçait l'aurore.

Ombrage plissa les yeux. Les dernières étoiles brillaient encore.

– Quel est donc le secret de l'île ? se décida enfin à demander Ombrage, inspirant à pleins poumons l'air iodé.

– Les Dragons. Les Dragons bleus, c'est cela son secret. Je pensais que tu l'avais déjà deviné, répondit Capenoire.

Ombrage en demeura bouche bée.

– Un jour, Stellarius m'a parlé d'une terre liée aux Dragons bleus, murmura-t-il pour lui-même.

Avant qu'il ne puisse poser d'autres questions, l'Elfe Noir se faufila derrière des rochers où se trouvait un soldat.

– Quelles nouvelles ? l'interrogea-t-il à voix basse.

– Je ne m'en suis pas approché, ainsi que vous l'aviez ordonné. Il a continué à gémir, mais n'a pas bougé, rapporta le garde.

Le jeune Elfe, à l'abri dans une anfractuosité, chercha Queue-Tranchée des yeux. Il aperçut les écailles
du Dragon qui scintillaient dans la faible lumière de
l'aube. Ombrage sourit et bondit hors de sa cachette.

Ce fut l'affaire d'un instant.

Queue-Tranchée le vit, poussa un rugissement terrifiant et, en un éclair, se lança sur lui. Tout trembla.

Des éclats de lumière bleue jaillirent tout autour,
un nuage d'éclats de pierre monta du sol.

Derrière lui, Ombrage entendit des cris d'alarme
désordonnés.

Spica s'éveilla dans la lueur rose pâle de l'aurore.

Elle était allongée dans un lit, sous de moelleuses
couvertures qui sentaient bon le frais. Un instant, elle
se crut chez elle. Pourtant il y avait quelque chose de
bizarre… Sa gorge sèche lui fit revenir en mémoire les
événements de la veille.

Elle s'assit sur son lit et découvrit deux paires d'yeux
qui l'observaient. La première était celle d'un lézard
rouge, et la deuxième appartenait à une Elfe d'une
dizaine d'années qui la scrutait d'un air impatient.

– Enfin tu te réveilles ! s'exclama-t-elle en chassant le lézard du lit.

Spica la fixa, intriguée.

– Bonjour ! bredouilla-t-elle en battant des paupières.

La petite Elfe se présenta :

– Mon nom est Œilvif.

– Moi, je m'appelle Spica, répondit-elle d'une voix rauque.

– Je le sais, répliqua la petite en éclatant d'un rire joyeux. Vous l'avez dit hier, pendant l'épreuve, ajouta-t-elle avec une expression espiègle.

Spica sourit. Cette enfant lui rappelait son amie

Robinia, mais à la différence des Elfes des Forêts, ses cheveux étaient courts et décoiffés.

– Où suis-je ? Où est Ombrage ? s'affola-t-elle en descendant du lit.

– Ah, tu veux dire Audace ? Il est avec mon père, ne t'inquiète pas, la rassura la petite.

– Ton père ?

– Le Capenoire.

Le visage de l'Elfe Noir lui revint en mémoire et elle frissonna.

– Le Capenoire ? Je croyais que Capenoire était son nom. Où sont-ils allés ? Et pourquoi m'ont-ils laissée ici ? demanda-t-elle, un peu perdue.

– Que de questions ! lança Œilvif, amusée, en mettant ses mains sur ses hanches. D'abord Capenoire n'est pas un nom, c'est une fonction : mon père est le chef des gardiens de l'île : les Capes Noires. Leur capitaine est le Capenoire. Il est venu chercher ton ami Audace avant l'aube. Tout à l'heure nous avons entendu un rugissement, puis plus rien ; je crois qu'ils ont rejoint le Dragon bleu. Il n'était pas loin. Papa a dit que ton ami avait promis de le calmer.

Spica demeura pensive.

– Ils seront bientôt de retour, tu verras. Et si ton

ami est capable d'apaiser le Dragon, il ne lui arrivera pas malheur, dit Œilvif en souriant.

– Malheur ? répéta Spica, anxieuse. Comment cela ?

Le visage d'Œilvif pâlit et ses yeux noirs s'abaissèrent sur le couvre-lit brodé que Spica serrait entre ses doigts.

– Eh bien, ce sot de Fortepoigne a créé un gros problème. C'est un des apprentis gardes, un jeune Elfe très capable. Plus tard il deviendra une excellente Cape Noire, mais parfois, comme dit maman, il se laisse emporter par l'enthousiasme. Il était avec mon père quand ils ont approché le Dragon pour la première fois. Ensuite il a convaincu les autres apprentis d'y retourner, pour jeter un coup d'œil. Pour tout dire j'y suis allée moi aussi. Quand Fortepoigne a aperçu le Dragon, il a absolument voulu s'avancer. Il n'a pas résisté.

– Oh non ! gémit Spica.

Œilvif continua, embarrassée :

– Nous n'aurions pas dû, mais nous ne pensions pas qu'il était si dangereux : les Dragons bleus ont toujours été nos amis. Et puis ce Dragon était harnaché, donc il était sûrement dressé. Mais il a mal réagi : il a bondi et, en moins de temps qu'il ne faut pour le dire, nous gisions tous à terre ; Fortepoigne était à la merci de ses griffes… Le Dragon a failli le dévorer.

Spica se leva brusquement.

– Ce n'est pas possible ! Queue-Tranchée ne dévorerait personne !

– Je l'ai vu de mes yeux ! insista Œilvif.

– Mais il n'aurait jamais…

Spica s'interrompit puis reprit :

– Étiez-vous armés ?

Œilvif acquiesça.

– Bien sûr. Nous n'y serions jamais allés sans armes. Ou plutôt les autres en avaient. Moi, je ne suis pas encore autorisée à porter un arc car je suis trop jeune. J'avais juste un sifflet enchanteur.

– Maintenant je comprends, soupira Spica. Queue-Tranchée s'est senti menacé, et il a imaginé que nous l'étions aussi. Les armes évoquent en lui d'horribles souvenirs. A-t-il fait du mal à quelqu'un ?

– Non, heureusement, répondit la petite. Mon père pense comme toi qu'il a été épouvanté par les armes, et que son cavalier pourra le calmer. Papa a vu beaucoup de Dragons quand il était jeune et il les connaît bien, ajouta-t-elle d'un ton sérieux qui la faisait paraître plus vieille que son âge.

– Queue-Tranchée est notre ami, et j'espère vraiment qu'il ne lui arrivera rien de fâcheux. Nous ne serions jamais parvenus ici sans lui… expliqua Spica.

– Je comprends, soupira Œilvif.

Puis, les yeux brillants, elle s'enquit :

– Audace est-il vraiment un Chevalier de la Rose ?

Spica acquiesça et le visage de la petite se fit rayonnant.

– Alors tout ira bien ! En attendant, viens avec moi : maman m'a demandé de te servir un bon petit déjeuner et de t'emmener visiter le village. D'accord ?

Spica accepta et se leva, mais son visage demeura soucieux.

Ombrage sentit le museau de Queue-Tranchée effleurer son bras. Ému, il éclata de rire.

– Tu vas bien ! soupira-t-il, soulagé.

L'étoile de son front brillait vivement.

Mais le Dragon perçut un mouvement derrière l'Elfe et leva brusquement la tête, s'apprêtant à le défendre.

Les Elfes Noirs qui étaient apparus sur les éperons rocheux s'arrêtèrent. Ombrage posa la main sur le cou du Dragon pour le rassurer.

– Du calme, sois sage. Ce sont des amis. Il ne faut pas les craindre, murmura-t-il.

Queue-Tranchée souffla et se plaça devant Ombrage pour le protéger. Le jeune Elfe comprit alors que ce qui s'était passé en son absence avait bouleversé le Dragon. Ses écailles frémissaient de rage et de peur mêlées, il aurait voulu s'envoler avec son cavalier.

Avec précaution, Ombrage s'éloigna de quelques pas et cria à Capenoire :

– Les armes ! Ordonne aux tiens de baisser leurs armes et de montrer leurs mains pour que le Dragon puisse les voir ! Doucement !

L'Elfe Noir fit un signe et les gardes obéirent. Ombrage caressa encore le cou de son ami, et Queue-Tranchée sembla s'apaiser.

– Tu vois ? Eux aussi avaient peur de toi. Ils ne voulaient pas nous faire de mal, lui chuchota-t-il.

Mais Ombrage sentit, en touchant ses écailles, que le Dragon n'était pas encore en confiance. Il devait habituer Queue-Tranchée à la présence de Capenoire. Tout en gardant la main sur le museau du Dragon,

Ombrage demanda à l'Elfe Noir de s'approcher afin que l'animal puisse le flairer.

– Autrefois, Queue-Tranchée a subi des tortures, c'est pourquoi il se défie de tout le monde, surtout de ceux qui sont armés… expliqua Ombrage.

– Tu n'as pas à me fournir d'explication, chevalier, l'interrompit Capenoire en baissant légèrement la tête, tandis que Queue-Tranchée frémissait, anxieux. C'est moi qui dois m'excuser auprès de toi et de ton Dragon. Ce sont mes apprentis qui ont provoqué sa colère. Ils ont désobéi à mes ordres et nous ont tous mis en danger. Pourtant je ne peux blâmer leur curiosité. Cela faisait tant d'années que je n'avais pas vu un Dragon bleu. Quant à eux, ils n'en avaient jamais rencontré.

D'un geste lent et mesuré, Ombrage prit la main de Capenoire et la plaça sous les narines de Queue-Tranchée. Le Dragon fixa longuement l'étranger, puis il siffla doucement et replia ses ailes dans une attitude moins tendue.

Il se méfiait encore, mais avait décidé de croire Ombrage. Cette marque de loyauté fit naître un mince sourire sur les lèvres de Capenoire.

Spica dégustait un solide petit déjeuner dans le jardin de la maison d'Œilvif. Elle se sentait plus sereine. Les rugissements de Queue-Tranchée ne résonnaient plus, Ombrage était sans doute parvenu à l'apaiser. Elle s'étira en se demandant quand Capenoire et Ombrage rentreraient, et si Queue-Tranchée les accompagnerait.

– Par où arriveront-ils ? s'enquit-elle.

– Sûrement par cette route, expliqua Œilvif en montrant un sentier qui serpentait parmi les roches du cratère.

Puis elle lui proposa de découvrir le village, et Spica accepta avec plaisir.

Les maisons des Elfes Noirs étaient plus petites et serrées que celles des Étoilés, mais pas moins belles : des sculptures de Dragons rugissants ornementaient les portes et les fenêtres. Des cascades de fleurs pourpres inondaient les façades de pierre noire.

– Pourquoi appelles-tu ton ami Ombrage ? Son nom n'est-il pas Audace ? s'étonna Œilvif.

– C'est mon frère qui a commencé à l'appeler ainsi. Quand il était enfant, il était tellement sérieux et grave… Il était différent des autres Étoilés, au caractère joyeux et solaire. Depuis, pour nous, il a toujours été Ombrage, et je pense que lui aussi s'y est habitué, raconta Spica.

Sur la place principale, elles passèrent devant la boutique du forgeron, qui interrompit son labeur pour leur adresser un coup d'œil.

– Bonjour, le salua Spica.

L'Elfe hocha brièvement la tête.

– Salut, maître forgeron ! lui lança Œilvif.

Au centre de la place, Spica remarqua un long prisme noir flottant dans les airs, semblable aux pierres volantes qu'elle avait déjà vues, mais plus élégant et décoré de dessins raffinés représentant des Dragons entrecroisés.

– Puis-je te demander ce que sont ces pierres flottantes, et pourquoi l'île en est pleine ?

– Ne le sais-tu pas ? Ces pierres sont notre salut. N'en avez-vous pas, pour vous protéger des tempêtes de lumière ? s'exclama Œilvif.

Spica secoua la tête et, avant qu'elle puisse répondre, une voix grave résonna derrière elle :

– Les autres royaumes ne sont pas exposés aux tempêtes de lumière, comme nous le sommes ici, au milieu de la mer.

– Des tempêtes de lumière ? répéta-t-elle, fascinée.

Le forgeron acquiesça.

– Ici, il tombe des quantités prodigieuses de foudre. On raconte qu'autrefois, l'île planait dans le ciel en compagnie de la lune, dont elle rappelle la forme, et des foudres qui illuminent les nuits de tempête. Or, une grande sécheresse survint, et l'île fut obligée de descendre pour chercher de l'eau. Quand elle vit cette magnifique mer, elle s'y plongea. L'île aima tellement cet endroit qu'elle décida d'y demeurer ; et en souvenir de ses origines, elle conserva la couleur noire constellée d'argent de la nuit, et sa forme en croissant de lune. C'est pourquoi nous l'appelons l'île de la Lune Montante.

– Et notre île plaisait tellement aux foudres qu'elles résolurent de descendre souvent la retrouver. C'est pourquoi nous la nommons aussi l'île des Tempêtes ! ajouta joyeusement Œilvif.

– Effectivement, c'est une tempête qui nous a révélé la présence de l'île, commenta Spica.

– Plus la foudre la frappe et plus elle est visible, reprit le forgeron. Mais en général, quand cela se produit, la mer est tellement déchaînée que l'île passe inaperçue. Quand il n'y a pas de foudre, la mer et le ciel se reflètent si parfaitement sur la pierre noire qu'ils se confondent avec elle. Et personne ne la voit. Nous, habitants de l'île, ne sommes pas immunisés contre la foudre. Pour protéger nos villages, nous avons besoin de ces pierres volantes qui absorbent l'électricité.

– *Des* villages ? Combien y en a-t-il donc ? s'étonna Spica.

– Autant que de cratères sur la montagne. Celui-là est le plus petit, mais il y en a d'autres.

Spica écoutait, admirative.

– Si votre vie est si difficile, pourquoi n'êtes-vous pas partis ? demanda-t-elle. Vous auriez été bien accueillis partout !

Le forgeron la regarda comme s'il ne comprenait pas la question.

– Les Elfes Noirs appartiennent à cette terre comme tu appartiens à celle des Étoilés. Nous n'y renoncerions pour rien au monde. Tout ce qui la rend intolérable aux autres, les vibrations électriques dans l'air, le vent des tempêtes et la roche noire, sont pour nous des raisons de l'aimer. De plus, sans les foudres cet endroit ne serait pas si solitaire, et les Dragons ne l'auraient pas choisi, conclut-il en retournant à sa forge.

– Choisi… répéta Spica. Pour quoi faire ?

– Pour y déposer leurs œufs, évidemment ! sourit Œilvif.

Spica en demeura bouche bée.

– Le secret des Chevaliers ! murmura-t-elle.

À présent, elle comprenait pourquoi Cœurtenace montrait une telle inquiétude dans son journal : les œufs de Dragons étaient couvés sur l'île de la Lune Montante et, si les Sorcières l'avaient découverte, elles auraient mis la main sur les petits des Dragons bleus. C'était aussi la raison pour laquelle Queue-Tranchée semblait tellement à l'aise parmi les pierres noires de l'île. Il avait grandi au royaume des Ogres, là où Ombrage l'avait rencontré et libéré, mais il était né ici.

11
LES LIENS DU SANG

 ssis près de Queue-Tranchée, Ombrage attendit que Capenoire donne ses ordres aux gardes.

Plissant les yeux, il contempla le soleil qui montait à l'horizon et soupira. Au loin, dans la brume du matin, l'île des Chevaliers se découpait au-dessus des vagues des Mers Orientales, petite et floue comme dans un rêve. Et si fragile, malgré sa Citadelle et ses tours fortifiées.

– Je sais… je sais que tu as déjà répondu à nos questions, à la Bouche de la Vérité, et que je n'ai en aucune façon le droit de t'importuner davantage, mais je voudrais tout de même éclaircir quelques points, dit Capenoire en revenant aux côtés du jeune Elfe.

Ombrage acquiesça et l'autre continua :

– La mer est immense, et vous êtes les premiers étrangers qui abordent sur l'île depuis tant d'années.

Nous n'avons aucune nouvelle de ce qui s'est produit pendant tout ce temps dans les autres territoires du royaume de la Fantaisie. J'aimerais apprendre ce que toi, fils de Cœurtenace, et tes amis avez dû affronter pour libérer les royaumes et parvenir jusqu'ici.

Ombrage raconta leur départ du royaume des Étoiles et comment, avec l'appui de ses amis, il avait vaincu les Loups-Garous au royaume des Forêts, là où il avait rencontré son père, sans savoir qu'il l'était. Il relata ensuite ses aventures sur les cimes enneigées habitées par les Gnomes de Forge, et son périple parmi les arbres de la Forêt des Murmures, qui étaient en réalité des Nains Gris transformés par un sortilège. Il narra sa rencontre avec Queue-Tranchée et comment, grâce au Dragon, il avait réussi à rejoindre ses amis, prisonniers au royaume des Sorcières. Enfin, il évoqua la grande bataille qui s'était terminée par l'effondrement du château de la Reine Noire.

Capenoire écoutait, impassible. À la fin du récit, il contempla le Dragon et son cavalier, comme s'il saisissait enfin la profondeur de leur lien.

– À présent je comprends beaucoup de choses, soupira-t-il après un long silence. C'est à cause du combat contre le scorpion géant que ton épée émet ces reflets verts. Et, comme ton épée, ta cuirasse appartient aussi à ton père. C'est parce qu'il a décidé de te les céder que tu as pu les utiliser. Donc Cœur-tenace a dû renoncer à sa vocation de chevalier, pour permettre à son fils de prendre sa place.

Ombrage secoua la tête.

– Non. Il n'y a jamais renoncé. Même sans son épée et sa cuirasse, son cœur est toujours celui d'un Chevalier de la Rose.

À ces mots, un sourire se dessina sur les lèvres de Capenoire. Il posa sa main sur l'épaule d'Ombrage.

– Tu as raison. C'est pour cela que mon frère a quitté l'île.

– Ton frère ? Était-il Chevalier de la Rose ? l'interrogea Ombrage.

Capenoire hésita un long moment, puis se décida à parler :

– Ton père est mon frère, jeune Elfe. Ton nom en est la preuve. Moi aussi je m'appelle Audace. Quand mon frère partit d'ici, je n'avais pas encore quatre ans. Mais je me souviens parfaitement de la nuit de son départ sur un navire, de son visage éclairé par la lune…

Ces confessions inattendues provoquèrent la stu-
péfaction et la confusion d'Ombrage.

– Ton frère ? Et… tu ne l'as pas revu depuis ?

– Non. Celui qui quittait cette île pour devenir
chevalier devait jurer de ne plus y revenir. Il n'était
consenti qu'à un seul chevalier d'y aborder une fois
par an, et pas n'importe quel chevalier : le
Commandant Dresseur des Dragons. Il

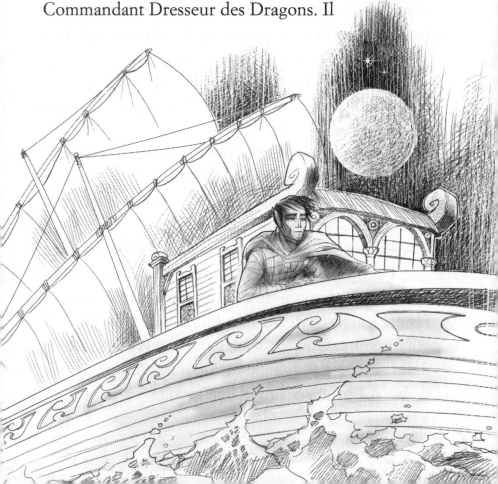

venait pour choisir les Dragons. Cette année-là, son choix se porta sur deux petits Dragons, et il emmena Cœurtenace avec lui. Longtemps je n'ai pas compris pourquoi mon frère était parti, pourquoi il nous avait abandonnés. Les explications de notre père ne me suffisaient pas. Je croyais qu'il s'était senti à l'étroit sur cette île, mais je me trompais. Un grand destin attendait Cœurtenace ; en lui brillait un courage qui ne devait pas demeurer confiné ici, parmi ces pierres noires.

Le visage d'Ombrage était pâle ; la gorge serrée, il articula lentement tout en caressant Queue-Tranchée :

– Courage, c'est le mot qui lui convient. Pas seulement pour la bataille. Il lui a aussi fallu du courage pour attendre, alors que tous les royaumes tombaient aux mains des Sorcières.

– Parfois, la patience nécessite plus de courage que l'action, convint gravement Capenoire. Mon frère l'avait dit un jour à notre père, qui l'a souvent répété par la suite. Il m'a fallu du temps pour le comprendre. Quoi qu'il advienne, nous devons nous maîtriser, ne pas agir de manière impulsive, penser d'abord à protéger l'île et son secret.

– Le secret des Chevaliers, acquiesça Ombrage.

Capenoire lui lança un regard.

– Le secret des Dragons. S'il y a un endroit au monde où les bébés Dragons, fragiles et sans défense, sont en sécurité, c'est bien ici. L'île est escarpée, inhospitalière, mais c'est ce qui la rend inaccessible et la protège. Depuis des temps immémoriaux, c'est ici que les Dragons bleus viennent tous les cent ans, guidés par les foudres, pour déposer leurs œufs sur les pierres noires chauffées par le soleil. Puis ils s'envolent à nouveau, au loin. Nous prenons soin de ces œufs, afin que rien ne les abîme ni ne les détruise.

Il marqua une pause et reprit :

– Il fut un temps où les choses étaient différentes. Les Elfes et les Dragons se combattaient.

– Comment sont-ils devenus alliés ? demanda Ombrage.

– De la manière la plus naturelle et la plus magique qui soit. On raconte que la première fois qu'un œuf s'ouvrit devant les yeux stupéfaits d'un Elfe Noir, une alliance se noua entre les deux espèces. Depuis, de nombreux cavaliers ont eu le privilège de chevaucher des Dragons bleus. Le Dragon bleu choisit son cavalier et n'obéit qu'à lui. Mais tu sais cela, Queue-Tranchée t'a choisi.

Ombrage sourit et regarda le soleil. Ils étaient assis depuis plusieurs heures.

– Et il doit de nouveau en être ainsi. Nous sommes ici pour cela, conclut le jeune Elfe.

Ils se turent pendant un long moment. Ombrage passa la main sur l'étoile de son front, celle qui l'accompagnait depuis son arrivée au royaume des Étoiles, quand il était enfant. De nature taciturne et silencieuse, il s'était toujours senti un peu étranger à la bonne humeur et à l'insouciance des Elfes Étoilés. À présent il comprenait qu'il ressemblait terriblement à son père, Cœurtenace, même s'il n'avait pas grandi à ses côtés.

– Ton frère t'a-t-il manqué ? demanda-t-il soudain à Capenoire.

L'Elfe Noir sourit.

– Malheureusement nous ne nous sommes pas beaucoup connus. J'étais très jeune et nous passions peu de temps ensemble, surtout quand il a commencé à se préparer à l'épreuve pour devenir chevalier. De cette période, j'ai presque tout oublié. Je me souviens seulement des soirées devant le feu, où il me prenait sur ses genoux et me chatouillait. Et je me rappelle aussi une fois où nous étions punis, et où nous avons consacré une journée entière à faire briller des lames à la forge. Le soir, j'étais si épuisé qu'il m'a ramené à la maison sur ses épaules. C'était mon frère aîné, je l'aimais, je voulais être comme lui. Quand il a décidé de partir, mon père était fier, mais triste aussi. Les premiers temps, je rendais Cœurtenace responsable du chagrin de notre père. Ce n'est qu'ensuite que j'ai compris.

Avec regret, il secoua la tête et ajouta :

– Je ne sais même pas si son visage ressemble à celui dont j'ai gardé le souvenir... Mais toi, tu l'as connu. C'est toi qui devrais m'en parler.

– Comme toi, je n'ai passé que peu de temps avec Cœurtenace. Trop peu. Je pense que je lui ressemble. Je sais qu'il a été un chevalier valeureux, qu'il a renoncé à tout pour tenir sa promesse de protéger le royaume de la Fantaisie et ses habitants. Mais je n'en sais pas plus. J'ai compris qu'il était mon père un instant avant qu'il ne soit transformé en pierre.

– Il est dur de devoir renoncer à un être cher, observa Capenoire, le regard tourné vers la mer.

Le vent effleura leurs visages. Ombrage se tut.

– Tu espères donc ramener à la vie ceux qui ont été pétrifiés par le sortilège de Sorcia et la trahison d'un des Chevaliers ? reprit Capenoire d'un ton grave.

– C'est le vœu de Floridiana, soupira Ombrage sans masquer sa préoccupation.

Il exposa à Capenoire la mission que la Reine des Fées lui avait confiée et la nécessité de reconstituer le Bouclier des Chevaliers pour sauver l'île et ses habitants. Il allait évoquer le troisième fragment, quand une pensée lui traversa l'esprit :

– Puisque, comme tu l'as dit, le Commandant Dresseur connaissait la route vers cette île, et qu'il y venait une fois par an… c'est peut-être lui qui a apporté le dernier fragment du Bouclier, pour éviter que les Sorcières ne le détruisent ! s'exclama le jeune Elfe, plein d'espoir.

Tout en se levant, Capenoire expliqua :

– C'était la Fée Maréa qui le guidait jusqu'ici, je crois. Mais il vaut mieux que tu parles de tout cela avec Véridique et Altière. D'après ce que tu m'as dit, il n'y a pas de temps à perdre.

– Ce sont les deux Elfes qui nous ont interrogés à la Bouche de la Vérité ? demanda Ombrage en se levant à son tour.

Capenoire acquiesça. Puis il regarda le Dragon et ajouta :

– Je pense que nous ne parviendrons pas à vous séparer de nouveau.

Queue-Tranchée montra les dents et poussa un rugissement menaçant. Capenoire sourit.

– Eh bien, fier Dragon bleu, c'est donc moi qui vais vous laisser pour quelque temps. Il serait trop risqué de supprimer la protection ici pour vous faire passer ; je vais ordonner qu'on la désactive quelques instants sur le Cratère Septentrional, qui est un des lieux les mieux protégés de l'île. Vous y parviendrez facilement par la voie des airs, et je m'y rendrai à pied. J'espère que ton cavalier saura te faire tenir tranquille, ajouta-t-il.

– Oui, ne crains rien, le rassura Ombrage.

– Je vous rejoindrai là-bas avant le coucher du soleil, avec Véridique et Altière, et j'emmènerai aussi votre amie Spica. Je suis sûr qu'elle sera heureuse de vous retrouver après une journée passée à écouter les bavardages de ma fille, plaisanta Capenoire.

Il les salua et disparut parmi les pierres.

– Qu'en dis-tu, nous y allons ? demanda Ombrage au Dragon, qui le fixait dans l'attente de ses ordres.

Queue-Tranchée déploya ses ailes et Ombrage monta en selle. Tandis qu'ils s'envolaient, au fond de son cœur, le jeune Elfe souriait. Il avait eu peur d'affronter seul sa mission, et au lieu de cela il venait de trouver une famille dont il ne soupçonnait pas l'existence.

Il jeta un coup d'œil sur la mer éblouissante et, tandis que Queue-Tranchée décrivait un large cercle au-dessus de l'île, il crut apercevoir quelque chose au loin qui plongeait dans l'eau. Il regarda plus attentivement, mais ne vit plus rien.

Le crépuscule s'installait quand Capenoire, Spica et les deux Elfes qui avaient interrogé les jeunes gens pendant l'épreuve parvinrent au Cratère Septentrional. Les trois Elfes Noirs n'avaient pas échangé un mot avec Spica durant le trajet ; seul Capenoire avait souri en lui rendant son arc d'argent. Puis il lui avait annoncé qu'ils allaient rejoindre Ombrage. Évidemment Œilvif avait demandé à les accompagner, mais Capenoire était resté ferme : c'était trop dangereux pour elle.

Le commandant des Capes Noires les conduisait d'un pas rapide le long d'un sentier abrupt. L'esprit de Spica bruissait de questions : où était Ombrage ? Pourquoi n'était-il pas revenu au village avec Capenoire ? Qu'était devenu Queue-Tranchée ? Et où allaient-ils donc tous ?

Les roches noires semblaient toutes identiques ; cheminer à travers ces labyrinthes de passages et d'escaliers taillés dans la montagne aurait déboussolé le voyageur le plus expérimenté.

Spica avait tenté de poser quelques questions, mais personne ne lui avait répondu. Elle comprit qu'il valait mieux se taire.

L'Elfe qui s'appelait Véridique était vieux et courbé, mais il marchait d'un pas agile et souriait.

Celle qui l'accompagnait arborait au contraire une mine sévère et dure. Elle portait une tresse noire, et une longue cicatrice striait la partie gauche de son visage. Ses sourcils froncés et ses traits anguleux ne semblaient pouvoir exprimer rien d'autre que la désapprobation.

Quand ils parvinrent au cratère, Spica découvrit une petite vallée circulaire, bordée d'épais buissons qui ondulaient sous la brise du soir. Le ciel était limpide, dégagé de cette brume surnaturelle qui recouvrait le reste de l'île. Les premières étoiles lui procurèrent un sentiment de soulagement.

En descendant, Spica remarqua quelque chose qui bougeait et réalisa soudain qu'il s'agissait de deux splendides et gigantesques ailes bleues.

Avec un cri de joie elle courut parmi les buissons. Personne ne l'arrêta et, un instant plus tard, elle serrait dans ses bras Ombrage et Queue-Tranchée.

– D'après ce que tu dis, c'est donc Maréa en personne qui vous a envoyés ici, pour trouver le fragment manquant du Bouclier des Chevaliers, résuma l'Elfe Conseillère.

Son nom, Altière, exprimait bien la profondeur

inquisitrice de ses yeux. Jusque-là, elle avait écouté en silence le récit d'Ombrage et de Spica.

– Dès que nous avons replacé les deux premiers fragments, les plantes et les petits animaux se sont éveillés de leur sommeil de pierre, précisa Spica. Quand le troisième sera remis en place, tous reviendront à la vie. Ainsi que son père, ajouta-t-elle en serrant la main d'Ombrage.

– Hum… Autrefois les Chevaliers de la Rose juraient de ne jamais agir pour leur intérêt personnel, commenta Altière en remuant une branche pour attiser le feu. Toi, tu veux sauver ton père. Qu'as-tu à répondre à cela ?

– C'est son père ! Comment peux-tu dire une chose pareille ? s'indigna Spica, le visage empourpré.

Ombrage posa la main sur son bras et expliqua :

– De nombreux compagnons de mon père sont pris au piège dans une prison sans barreaux, sur l'île des Chevaliers. Et beaucoup de simples gens qui vivaient tranquillement là-bas ont subi le même sort. Les chevaliers étaient peut-être préparés à un tel destin, mais pas ces gens. Je trahirais la mission que Floridiana m'a confiée si je ne pensais pas à eux à chaque instant. Mais je me trahirais moi-même si j'oubliais que mon père est victime du sortilège. Si je ne réussis pas à reconstituer le Bouclier et à empêcher l'île de couler avec tous ses habitants, je ne pourrai plus rien, ni pour eux ni pour lui. J'ai su trop tard qu'il était mon père ; c'était un fier chevalier, et je sais qu'il n'aurait jamais voulu que je fasse passer sa vie avant celles d'innocentes victimes. Mais, je le répète, je ne serais pas sincère si je niais mon désir de le sauver lui aussi, ajouta-t-il à voix basse, en fixant les flammes.

– Toute vie est précieuse, approuva Véridique, et Altière le sait bien ; peut-être mieux que quiconque. Sache, jeune Elfe, qu'elle aussi était Chevalier de la Rose, comme ton père. Je crois qu'elle devrait maintenant te raconter son histoire.

Ombrage demeura silencieux et fixa l'Elfe Conseillère, qui lança un regard furieux à Véridique. Puis, après un moment d'hésitation, elle se décida :

– Il n'y a pas grand-chose à dire. Ma vie sur l'île des Chevaliers a pris fin le jour où le Général Suprême a trahi les siens et s'est soumis à la volonté de la Reine des Sorcières. J'étais jeune, et j'allais être nommée Dresseuse Experte quand tout a basculé.

Elle s'interrompit comme si ce souvenir lui faisait mal.

– Les Sorcières ont attaqué l'île, nous avons été pris par surprise. Seuls les chevaliers qui réussirent à s'envoler et ceux qui voyageaient à l'extérieur furent sauvés. Moi, je me trouvais en mer sur un des navires. Nous luttâmes durement, assaillis par des essaims de Sorcières. Ma cicatrice date de ce combat. Mais notre résistance fut vaine : ces furies déchiquetèrent les

voiles, firent couler les navires et abattirent les Dragons. Une force mystérieuse semblait amplifier leur pouvoir. Je me suis retrouvée dans l'eau, agrippée à un débris, à la dérive, sous un soleil impitoyable, entraînée loin de l'île des Chevaliers. Je ne saurais dire combien de temps je suis demeurée en mer. J'ai perdu connaissance et, quand je suis revenue à moi, j'étais à nouveau ici.

– La marée l'a sauvée, précisa Véridique en réchauffant ses mains devant le feu.

Altière reprit d'un ton dur :

– Je fus soignée et me remis. Je pensais sans cesse que, peut-être, sur l'île des Chevaliers, l'on avait besoin de moi. Tous n'étaient peut-être pas morts. Ainsi, quand les ruines cessèrent de fumer, je construisis une embarcation et y retournai. Je n'oublierai jamais ce que j'y découvris. Le sortilège de pierre avait tout frappé. Le sang des Dragons abattus ruisselait des toits des maisons. Puis je parvins à la Salle des Chevaliers et je le vis : le Bouclier était brisé, soupira-t-elle en penchant la tête de côté. J'ai alors réalisé que quelqu'un avait trahi les Chevaliers de la Rose, et cette découverte anéantit ma confiance envers l'antique confrérie. Quelqu'un d'autre avait compris : le Commandant

Dresseur, le corps transpercé par une lance, tenait un fragment du Bouclier ; il l'avait protégé au prix de sa vie. Je cherchai les autres fragments en vain. Tandis que je me demandais quoi faire, je me rendis compte que je n'étais pas seule. Des Sorcières rôdaient dans les ruines. Bouleversée, j'ai eu un instant le désir de les affronter, de m'élancer vers mon destin et de m'unir dans cet ultime sacrifice aux chevaliers morts pour défendre l'île ; mais je me ravisai. J'ai saisi le fragment et me suis enfuie. Je suis montée dans ma barque et suis revenue ici. Personne ne m'a vue. Personne ne sait où je l'ai caché. Sauf peut-être Maréa.

– Alors Ombrage avait raison ! Le troisième fragment se trouve réellement ici ! s'exclama Capenoire.

Altière acquiesça.

– Je n'en ai parlé qu'à Véridique, continua-t-elle. Et maintenant apparaît un jeune Elfe qui se prétend chevalier, mais qui n'a juré sur aucun Bouclier, et qui porte une épée imprégnée du poison des Sorcières ! Et, comme si cela ne suffisait pas, il est accompagné par une imprudente et par un Dragon écorché presque incontrôlable ! Que dois-je penser ?

Queue-Tranchée perçut l'hostilité des derniers mots de l'Elfe Conseillère et gronda sourdement.

– Ils ont surmonté l'épreuve de la Bouche de la Vérité ! objecta Véridique. Et c'est Floridiana qui les a envoyés !

– Veux-tu dire que tu n'as pas l'intention de nous aider ? s'écria Spica en pâlissant.

12
Le défi d'Altière

Spica n'en croyait pas ses oreilles :

– La confiance que nous a accordée Floridiana et l'aide que nous avons reçue de Maréa ne te suffisent pas ?

– Comment pouvez-vous prouver que vous êtes parvenus ici grâce à leur appui ? répliqua l'Elfe Conseillère.

Ombrage soutint son regard.

– Floridiana m'a confié l'Anneau de Lumière après que je l'ai arraché à Sorcia, ce qui démontre qu'elle se fie à moi. Je n'en voulais pas, et même je le craignais, mais si elle m'en a donné la garde, cela signifie qu'elle pense que je prendrai les bonnes décisions. D'autre part Maréa nous a offert l'Appel des Mers. Ce coquillage nous a permis d'arriver jusqu'ici. Elle m'a demandé de le rendre à la mer après l'avoir utilisé pour la dernière fois, et c'est ce que j'ai fait. Je ne peux donc exhiber cette preuve.

Mais même si je le faisais, je doute que je réussirais à te convaincre.

– Ma chère amie, intervint Véridique, je crois que nous devrions faire confiance aux choix de Floridiana et des autres Fées. La présence de ces jeunes Elfes montre que le destin de notre île et de celle des chevaliers n'a pas été oublié.

Altière éclata d'un rire aigu.

– Confiance ? Notre confiance est précieuse ! N'oublie pas que nous ne décidons pas seulement pour nous, mais aussi pour les treize œufs de Dragon bleu que nous conservons. Ce sont peut-être les derniers de tout le royaume de la Fantaisie. Que se passerait-il si notre île était découverte ? Les Sorcières ont été vaincues, mais pas anéanties, c'est ce que disent ces jeunes Elfes.

– Si nous ne les aidons pas, les êtres pour qui tu as lutté et dont le destin te fait encore souffrir mourront vraiment, insista Capenoire en lui saisissant le bras. L'île des Chevaliers disparaîtra dans la mer, et tu en seras responsable.

Altière pâlit de rage et se libéra de sa prise.

– Nous avons déjà eu cette discussion, Capenoire, et ta fonction ne te confère pas un pouvoir supérieur au mien. L'orgueil de ton sang n'imposera pas à cette île le chemin à suivre !

La voix d'Ombrage résonna :

– Je passerais volontiers des journées entières à dissiper tes doutes, crois-moi, mais nous n'avons que peu de temps. Ce ne sont pas nos vies qui seront perdues si nous échouons à reconstituer le Bouclier des Chevaliers. Je suis convaincu que quand mon père a découvert la trahison du général, il a éprouvé la même rage que toi. Mais il a trouvé une manière de lutter, même en demeurant caché.

– Oui, mais il semble qu'il nous ait oubliés : il s'est fait une nouvelle maison et de nouveaux compagnons. Moi aussi j'ai trouvé une nouvelle façon de combattre le mal. Ma façon, rétorqua Altière.

Spica en demeura sans voix, Capenoire fronça les sourcils.

Le regard d'Ombrage s'était assombri. Il prit une profonde inspiration, et dit lentement les mots qu'il aurait voulu hurler :

– Insulter mon père ne te servira à rien. Dis-moi comment je

pourrais te convaincre de secourir ceux qui ont été pétrifiés et je m'exécuterai. Mets-moi à l'épreuve, mais ne refuse pas ton aide à ceux qui en ont besoin, sinon tu violeras toi-même le serment des Chevaliers !

Spica sauta sur ses pieds.

– Oui, soumets-nous à toutes les épreuves qu'il te plaira ! Tu verras que nous les surmonterons, ensemble !

Mais quelque chose dans les yeux noirs d'Altière l'effraya. L'Elfe Conseillère ne lui accorda qu'un rapide coup d'œil et revint sur Ombrage.

– Non. Pas ensemble. Cette fois tu ne pourras pas compter sur tes amis. Tu souhaites une épreuve, jeune Elfe ? Tu en auras trois, mais tu devras les affronter tout seul. Surmonte-les et tu auras le fragment.

– Pourquoi devrait-il les subir seul ? intervint Spica, les yeux pleins de larmes et de rage. Qu'est-ce que cela prouverait ? De toute façon tu ne le croiras pas !

Mais sa voix glissa sur Ombrage et Altière, comme l'eau sur la pierre. Le jeune Elfe fixa la Conseillère et acquiesça.

Capenoire prit gentiment Spica par le poignet.

– Pourquoi tout seul ? Il ne... bredouilla-t-elle.

Capenoire l'interrompit avec douceur :

– À présent, c'est toi qui ne lui fais pas confiance.

Spica ferma les yeux et secoua la tête.

– J'ai confiance en lui… mais pas en Altière ; elle non plus ne nous fait pas confiance !

Altière répondit elle-même à Spica :

– Quelle que soit l'aide que tu as apportée à Ombrage dans le passé, souviens-toi qu'un Chevalier de la Rose doit affronter certaines épreuves seul. S'il n'est pas capable d'y faire face, il n'est pas digne d'être chevalier…

Ses paroles furent interrompues par un sifflement aigu qui provenait d'au-delà les parois du cratère. Queue-Tranchée, alarmé, leva la tête. À ce moment ils virent arriver Fortepoigne qui courait à perdre haleine.

– Des serpents ! Les serpents de mer attaquent le village ! cria-t-il, épouvanté.

En reconnaissant l'Elfe qui l'avait menacé, Queue-Tranchée rugit. Fortepoigne recula.

Ombrage calma le Dragon et serra ses doigts sur la garde de Poison.

– Des serpents d'argent ! Oh non… c'est à cause de nous qu'ils sont ici !

Des sons stridents de cornes déchirèrent l'obscurité, et même les étoiles semblèrent trembler dans le ciel.

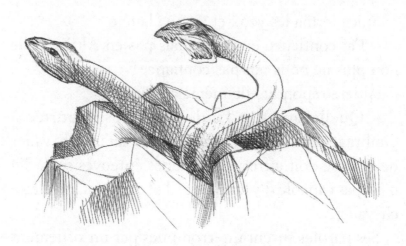

– Vite, il faut les arrêter ! s'exclama Spica en saisissant son arc.

Les deux Elfes s'apprêtaient à descendre le sentier,
quand la voix de Véridique les stoppa.

– Ombrage, le temps court ! Et tu dois affronter
les épreuves.

Le jeune Elfe serra les dents. Spica le vit acquies-
cer lentement. Tandis qu'il posait ses mains sur ses
épaules, elle plongea son regard dans ses yeux foncés,
couleur de sous-bois.

– Je dois partir, lui dit-il.

– Je viens avec toi !

Il secoua la tête, sa voix trembla légèrement :

– Altière a raison. Il faut que j'y aille seul. Aie

confiance et sois prudente. Je te confie Queue-Tranchée, et toi, mon ami, veille sur Spica. Tout ira bien,
et je reviendrai vite pour vous prêter main-forte.

Il hésita un bref instant, puis l'embrassa tendrement. La jeune Elfe sentit son cœur qui battait à tout
rompre. Ombrage lui aussi avait peur, mais il affron-
terait sa peur. Comme toujours. C'était aussi pour cela
qu'elle l'aimait.

Au prix d'un immense effort, Spica opina. Elle
accomplirait son devoir, même si cela impliquait d'être
séparée d'Ombrage et de vaincre ses propres frayeurs.

Ombrage posa sa main sur le museau de Queue-
Tranchée.

– Tu sais comment procéder avec les serpents.
Prends soin de ces gens, quoi qu'il arrive, lui souffla-
t-il doucement.

Puis il se retourna et suivit Altière.

Queue-Tranchée bondit et gronda pour l'arrêter.
Mais il se rendit vite compte qu'il ne parviendrait pas
à empêcher son départ, alors il lança un rugissement
vers le ciel et s'effondra au sol, tel un nouveau-né
abandonné.

Spica saisit l'arc de Floridiana en se demandant avec
angoisse comment elle allait s'en sortir, toute seule.

TROISIÈME PARTIE

· ⁓ ·

LES TROIS ÉPREUVES

13

LE VISAGE INCONNU

mbrage suivit Altière le long d'un sentier caché parmi les roches noires, et bientôt le Cratère Septentrional ne fut plus qu'un lointain souvenir. Il n'osait pas parler. Il marchait derrière la Dresseuse de Dragons, sans savoir où elle l'emmenait et ce qu'il devrait affronter.

« Ai-je agi comme il le fallait ? » se demandait-il. Peut-être aurait-il dû faire demi-tour pour aider ses amis bien vivants, avant qu'il ne soit trop tard, plutôt que de penser à réveiller des statues de pierre ?

– Que sais-tu des Chevaliers de la Rose ? l'interrogea soudain Altière. Qu'est-ce que t'a révélé Floridiana à propos de leur serment ?

Ombrage, plongé dans ses réflexions, tressaillit.

La voix de l'Elfe Conseillère était dure, mais elle lui sembla moins chargée de ressentiment.

– Je ne sais pas grand-chose, avoua-t-il. Nous avons découvert le récit de la naissance de l'île dans la Crypte de l'Histoire, sous la Salle des Chevaliers, mais j'ignore presque tout de l'entraînement et de la vie des Chevaliers. Le peu que je sais de leurs valeurs, je l'ai appris à travers les actions de deux d'entre eux : l'un était mon père, l'autre était son maître.

Altière s'arrêta et lui jeta un coup d'œil.

– Tu parles sans doute des valeurs que tout le monde connaît : courage, force et constance dans la bataille. De grands idéaux, dit-elle en reprenant sa marche. Mais c'est à de petites différences qu'on juge un véritable chevalier. Par exemple, il ne lutte pas pour la gloire mais pour la justice. Ou plutôt, c'était ainsi autrefois… Devenir chevalier exigeait de renoncer à tout. Tout. Nous abandonnions nos familles, sans emporter aucun souvenir à l'exception d'un médaillon. Dès notre arrivée sur l'île, l'entraînement commençait. Étude et travail au service des plus anciens. À chaque instant, nous devions nous montrer dignes du titre de Chevalier et conscients des responsabilités qu'il impliquait. On oublie trop souvent que porter une arme permet de nuire aux agresseurs mais aussi aux innocents. Une erreur peut se révéler mortelle, et il faut s'y préparer. Celui qui chevauche un Dragon dispose d'un immense pouvoir qui perdrait les plus fragiles.

Tu es trop jeune. Il t'aurait fallu quelques années de plus pour réussir les Trois Épreuves et devenir digne de posséder un Dragon. Si la Reine Floridiana a choisi d'ignorer les règles, moi je ne le ferai pas.

– Est-ce que chaque chevalier affrontait les Trois Épreuves ?

– Oui, chaque aspirant chevalier.

– En quoi consistaient-elles ?

– Différentes pour chacun, précisa-t-elle. Elles étaient destinées à mettre les aspirants devant leur Visage Inconnu. Et c'est pour cela qu'il leur fallait les affronter seuls.

– Leur Visage Inconnu ?

– L'ennemi le plus difficile à combattre. La partie la plus mauvaise de chacun d'entre nous. C'est seulement par une connaissance profonde de nous-mêmes que nous pouvons espérer la maîtriser. Ambition. Peur. Médiocrité. On peut les décrire aux apprentis, leur suggérer des manières de s'en prémunir, mais il est impossible de leur enseigner comment les combattre vraiment. Pour identifier et vaincre nos faiblesses, il faut être seul. Être contraint de décider soi-même, savoir que l'échec peut advenir, en dépit de tous les efforts. Et savoir l'accepter. La présence d'autres

personnes durant l'épreuve pourrait troubler ce pro-
cessus : on peut trouver du courage dans le regard de
ses amis, dans le son de leur voix. Quand on est seul,
on ne peut compter que sur ce qu'on possède au fond
du cœur. Personne ne peut se prétendre chevalier s'il
n'a pas affronté les Trois Épreuves. Je les ai recréées
ici, sur cette île. Tant que tu ne les auras pas surmon-
tées, je te considérerai comme un jeune ignorant et un
imprudent, et je te traiterai en conséquence.

Ombrage serra les lèvres.

– Tes épreuves ne sont pas si fiables, puisque Hautemer les a subies et a fini par trahir les siens, observa-t-il.

Altière s'arrêta si brusquement que le jeune Elfe
se cogna contre elle. Elle lui lança un étrange regard,
tandis qu'une roche noire se déplaça rapidement
devant eux. Ombrage avait déjà vu le même phénomène se produire quand Capenoire les avait conduits
dans le Ventre de l'île.

– Je n'ai jamais dit qu'elles étaient infaillibles, mais
qu'elles étaient justes. Avant de trahir les siens et tout
le royaume de la Fantaisie, Hautemer s'est d'abord
trahi lui-même. Il s'est trahi lui-même, répéta-t-elle.

Puis elle tendit le bras pour montrer une fissure
sombre qui s'ouvrait dans une paroi rocheuse.

– Nous sommes arrivés. Entre dans le tunnel, et traverse le cœur de la montagne. Si tu y parviens, tu trouveras le fragment, dit-elle en le toisant. Mais si tu échoues, souviens-toi que le seul à blâmer, ce sera toi. Toi et ton Visage Caché.

Ombrage empoigna Poison et se dirigea vers l'entrée de la galerie. L'étoile de son front éclaira faiblement un couloir rocheux plongé dans l'obscurité. Il pensa à son père.

– Allez. Tu as toi-même dit que l'île des Chevaliers ne tiendrait pas longtemps, l'exhorta Altière.

Ombrage sentit son cœur se serrer. Avant de s'engouffrer dans le passage, il demanda :

– Je porte sur moi Poison et l'Anneau de Lumière. Est-ce que ce sera une raison de mettre en doute le résultat ?

– J'accepterai le verdict de l'épreuve. Chacun a le droit d'emporter les objets qu'il juge utiles. Cela vaut pour les armes comme pour la magie…

Ombrage la fixa sans un mot. Puis il soupira et s'enfonça dans le tunnel.

Demeurée seule, la Dresseuse de Dragons leva les yeux vers le ciel.

– Hautemer est une plaie qui ne guérira jamais,

Audace. Mais souviens-toi : seul un Chevalier de la Rose est capable de découvrir ses propres défauts, et de se faire assez confiance pour lutter contre eux et les vaincre.

Un souffle de vent glacé charria l'écho lointain d'une corne.

– Je veux aller avec vous, martela Spica à l'intention de Capenoire.

L'Elfe secoua la tête.

– Non, j'ai besoin de toi ici pour que le Dragon se tienne tranquille.

– Je peux vous être utile ! Je suis habile à l'arc, et nous avons déjà affronté les serpents, insista-t-elle.

Capenoire rétorqua, inflexible :

– Véridique restera avec toi. La mission que je te confie est plus importante que tu ne le penses ! s'exclama-t-il en se hâtant vers le sentier par lequel ils étaient arrivés.

Spica voulut le suivre, mais une main lui saisit délicatement le bras.

– Chacun doit tenir son poste durant un siège. Un soldat qui déserte sa position fait le jeu de l'ennemi. Les Capes Noires sont les gardiens de cette île depuis des siècles, et ils sauveront le village, je te l'assure. Nous devons prendre soin du reste.

– Du reste ? Quel reste ? Je ne vois ici que des buissons et des rochers ! hurla-t-elle en serrant les poings de rage. Personne ne devrait pousser l'orgueil au point de refuser l'aide qu'on lui offre ! Surtout quand ce n'est pas seulement sa propre vie qui est en jeu.

Surpris, Véridique sourit.

– Je pense qu'Altière s'est trompée sur toi, comme sur ton ami. Tes propos portent une grande sagesse, dont tu devrais être la première à t'inspirer… Mais personne n'a refusé ton aide, il me semble.

– À quoi puis-je servir, ici ?

– À veiller sur ceux qui ne peuvent se défendre tout seuls.

Une expression perplexe se dessina sur le visage de Spica.

– Nous devons protéger un trésor très précieux, jeune Étoilée ! déclara Véridique.

– Un trésor ? Veux-tu dire que… ?

– … qu'il y a un œuf de Dragon, ici, confirma le Sage. Tu ne t'en étais pas aperçue ?

Spica regarda autour d'elle.

– Non, il fait sombre. Où est-il ?

Véridique eut un petit rire.

– Les œufs de Dragons se camouflent très bien. Ils sont difficiles à trouver. Il faut savoir les reconnaître, et même ainsi ce n'est pas si facile. Je connais un Elfe qui a construit sa maison sur un œuf… C'était pourtant un Elfe Noir, expert en Dragons ! Par toutes les pierres volantes, il n'était pas content quand il l'a vu éclore !

Avec un soupir, Spica remit son arc à l'épaule. Elle profita de la bonne humeur de Véridique pour lui poser une question qui la tourmentait :

– Pourquoi Altière ne croit rien de ce que nous avons raconté ? Elle semble douter même des Fées… Son cœur déborde de rage !

Le vieil Elfe soupira.

– C'est vrai. Mais elle ne fera aucun mal au fils de Cœurtenace. Elle agira comme elle le doit, répondit-il d'un ton mystérieux.

Il retourna près du feu.

Spica rejoignit Queue-Tranchée et se pelotonna contre sa cuirasse d'écailles.

– Ne t'inquiète pas. Ombrage sait ce qu'il fait, murmura-t-elle autant pour tranquilliser le Dragon que pour se rassurer elle-même.

Queue-Tranchée lui adressa un regard d'une tristesse infinie et se remit à scruter l'obscurité, là où Ombrage avait disparu quelques instants plus tôt.

Un autre son de corne retentit dans l'air du soir, puis s'éteignit. Le silence recouvrit toute chose.

Ombrage parcourait un sentier si étroit que les parois semblaient vouloir l'écraser. La timide lumière de son front dessinait des reflets d'argent sur la roche. Son esprit bruissait de mille pensées. Les mots de Floridiana résonnaient à ses oreilles. Les deux premiers fragments représentaient le passé et le futur des Chevaliers. Le troisième concernait le présent… et lui-même. « Trouve le troisième fragment, et tu auras la clef du présent. Il symbolise ta vie, tes rêves, ton cœur. Ce sera la partie la plus ardue de ta mission. »

C'était le fragment le plus important. Sans lui, tout ce qui avait été accompli jusqu'à présent s'avérerait inutile.

En parlant avec Altière, Ombrage s'était rendu compte que, pour la première fois, il serait vraiment seul. Même quand les Sorcières l'avaient séparé de ses amis, il avait trouvé aide et réconfort auprès de Queue-Tranchée; entre eux une alliance était née qui le remplissait de fierté. Cette fois, il ne pourrait plus compter que sur lui-même. Il devrait affronter son Visage Inconnu, quel qu'il soit. Une pensée l'angoissait plus que tout : que se passerait-il s'il décevait la Reine des Fées, s'il ne parvenait pas à récupérer à temps le dernier fragment ? Serait-il capable d'accepter l'échec de sa mission ? Qu'adviendrait-il de lui s'il ne réussissait pas à sauver l'île des Chevaliers et à ramener à la vie ceux qui avaient été pétrifiés ?

Soudain l'assurance dont il avait fait preuve face à Altière vacilla, la confiance de Floridiana lui parut infondée. Pourquoi la Reine des Fées avait-elle placé tant d'espoir en lui qui n'était qu'un jeune Elfe sans qualités particulières ?

14
LA PREMIÈRE ÉPREUVE

Ombrage progressait à tâtons dans le tunnel, le cœur plein d'angoisse.

« Avant de trahir les siens et tout le royaume de la Fantaisie, Hautemer s'est d'abord trahi lui-même », avait dit Altière. Que signifiait donc « se trahir soi-même » ? Pourquoi les paroles de l'Elfe Conseillère le troublaient-elles tant ?

Un souffle d'air humide frappa son visage et le tira de ses pensées. Allait-il finir par arriver quelque part ?

Une goutte tomba sur sa tête : l'eau suintait de la roche noire et baignait le sol de la galerie.

Ombrage avança encore. Il n'entendait que le clapotis de ses pas et les battements de son cœur.

Enfin, un reflet éclaira le tunnel, qui déboucha dans une grotte. Ombrage poussa un soupir : il était arrivé quelque part.

Le sol irrégulier de la cavité, recouvert d'eau,

scintillait sous la faible lumière bleue qui provenait d'une ouverture au sommet de la voûte.

La main sur la garde de Poison, Ombrage fit quelques pas en avant, s'attendant à être attaqué à tout moment. Après une brève inspection du lieu, il réalisa qu'il n'y avait pas de danger, seulement des pierres glissantes et de l'eau.

Malheureusement il n'y avait pas d'issue. La seule manière de poursuivre son chemin était d'escalader la paroi rocheuse, jusqu'à l'ouverture par laquelle filtrait la lumière. Ombrage s'approcha et repéra des saillies et des creux qu'il pourrait utiliser pour grimper.

Faisant taire ses peurs et ses doutes, qui semblaient grandir démesurément dans cet endroit mystérieux, il plaça Poison sur son dos et sauta pour s'agripper à la première saillie.

Il n'y avait pas de temps à perdre.

Il se hissa à la seule force des bras et, péniblement, trouva un appui pour ses pieds. L'ascension ne serait pas une partie de plaisir, pensa-t-il amèrement : la pierre était lisse et il n'était pas facile de se tenir dessus. Ombrage chercha rapidement des yeux d'autres prises possibles, choisit la moins mauvaise et, au prix d'un immense effort, parvint à avancer encore. Il progressait lentement, centimètre par centimètre, essayant de ne penser à rien d'autre qu'à l'enchaînement de ses gestes.

Haletant, il jeta un coup d'œil vers le bas et réalisa qu'il n'avait même pas atteint la moitié de la paroi. Il regarda vers le haut et serra les dents : il lui faudrait un siècle pour parvenir au sommet, et, à ce moment, l'île des Chevaliers serait depuis longtemps engloutie par la mer !

Il chassa cette pensée et testa une prise. La pierre s'effrita entre ses doigts. Ombrage en repéra une autre, plus à droite, sur une position assez risquée. Mais il devait tenter.

Il déplaça son poids sur le pied droit et se pencha, allongeant la main aussi loin qu'il le pouvait. Il effleura la prise mais ne réussit pas à l'atteindre. Pour y parvenir il devrait sauter.

Il hésita, cherchant une autre solution. S'il tombait, il n'aurait pas de deuxième chance. Mais, apparemment, il n'avait pas le choix.

Il ferma les yeux et essaya de se représenter mentalement le mouvement qu'il devrait effectuer.

Le sang battait dans ses tempes. Il plia les jambes et, tendant le bras le plus possible, s'élança de côté. Sa main saisit la roche noire et luisante.

Ombrage exulta, mais sa joie fut de courte durée. L'appui se révéla humide et glissant, à cause de l'eau qui ruisselait le long de la paroi. La prise lui échappa et il tomba.

Avec un bruit sourd, il s'abattit par terre. Une vague de souffrance le traversa. Il gisait, immobile, dans la mince couche d'eau qui recouvrait le sol rocheux. Le choc lui avait coupé le souffle. Ombrage mit un peu de temps avant d'avoir la force de se relever. Sa jambe avait frappé la roche. Par chance elle n'était pas cassée, mais un éclair de douleur le transperça quand il effleura sa cheville. Il se rendit compte qu'il ne pourrait recommencer à escalader dans cet état. Un instant, le désespoir l'assaillit et il s'écroula. Il regarda la paroi et sentit son sang se glacer. S'il avait chuté de plus haut, il n'aurait pas survécu. Comment pourrait-il affronter les Trois Épreuves, s'il ne parvenait même pas à sortir de ce puits ?

Lentement, en essayant de ne pas se laisser submerger par le désespoir, il s'assit et analysa la situation.

Il ne pouvait pas abandonner. Il y avait sûrement un moyen de continuer et il devait le découvrir.

Il rassembla ses forces et se leva. En boitant, il

s'approcha de la paroi de pierre. Il passa la main sur son front pour écarter les mèches trempées de sueur.

Une idée surgit dans son esprit.

Jusqu'ici, il n'avait pas réalisé qu'il était en train d'affronter la Première Épreuve. Un chevalier pouvait à tout moment se trouver contraint de franchir un tel obstacle, sans aucune aide.

Il plissa les yeux et regarda de nouveau autour de lui. Qu'est-ce qui lui avait échappé ? Qu'y avait-il ici à part de l'eau et des pierres ?

– Rien d'autre que de l'eau et des pierres noires, murmura-t-il.

Et soudain il comprit ce qu'il devait faire.

Un instant plus tard, Poison s'abattit sur la paroi rocheuse, pénétrant dans une fissure ouverte par l'eau. Une gerbe d'étincelles jaillit, et Ombrage s'arc-bouta en pesant de tout son poids sur la garde pour enfoncer la lame.

Il y eut un bruit de roche fendue, et Ombrage, en faisant levier, détacha une grande dalle de pierre noire. La pierre bascula en avant et se figea en l'air, devant lui. Oui, il avait vu juste !

La pierre noire, comme il l'avait plusieurs fois

observé, pouvait flotter en apesanteur. Et, de fait, cette dalle flottait !

Le cœur débordant d'enthousiasme, Ombrage se hissa sur la pierre et se mit debout, essayant de garder l'équilibre malgré sa cheville douloureuse.

Il n'était pas assez près du mur rocheux. Il s'agrippa à une saillie et, à la force des bras et des jambes, rapprocha la dalle en suspension de la paroi. Chaque mouvement lui provoquait un élancement lancinant à la cheville. Lentement, il chercha une autre fente, et y introduisit Poison le plus profondément possible. Il y eut un éclair scintillant et, dans un crépitement, une seconde dalle se détacha, voltigeant dans les airs.

Puisqu'il n'y avait pas d'escalier, il en fabriquerait un lui-même. «Ce sera un escalier volant», pensa Ombrage en souriant.

15
DES TRAÎNÉES D'ARGENT

pica demeura longtemps dans l'obscurité du Cratère Septentrional, tenaillée par le sentiment d'être inutile.

Assis près du feu, Véridique chantonnait à voix basse. Depuis plusieurs heures, on n'entendait plus de sons de corne, mais Spica n'était pas convaincue que ce fût un bon signe. Personne ne leur avait annoncé la fin de la bataille ni la défaite des serpents, alors le plus petit bruit, le moindre frémissement de buisson la faisaient sursauter.

Elle savait qu'elle avait un rôle à jouer là où elle était, mais continuait à se demander si elle n'aurait pas été plus utile au village.

Elle ne tenait plus en place. Elle se leva pour parcourir les buissons sur le bord externe du cratère, afin d'essayer de comprendre ce qui passait, mais elle ne vit que la lumière des étoiles qui se reflétaient sur les ondes.

Véridique l'observait.

– Je pense que nous sommes en sécurité pour le moment.

– Comment le sais-tu ? s'impatienta-t-elle.

– Capenoire a refermé le sentier derrière lui en déplaçant les pierres le long de son trajet. C'est ainsi que nous isolons les cratères. Ainsi, si l'un d'entre eux est découvert, les autres demeurent introuvables.

– Et si les serpents parviennent à déplacer les pierres ?

– Les Elfes Étoilées posent toujours beaucoup de questions, n'est-ce pas ? sourit Véridique.

– Ils en posent seulement quand ils ne comprennent pas. Les Elfes Noirs n'en font-ils pas autant ? répliqua Spica, quelque peu agacée.

– Oh si, bien sûr. Et certains plus que d'autres. Je t'ai vue parler à Œilvif, c'est une enfant curieuse de tout, dit Véridique avec une lueur de tendresse dans les yeux. Mais nous lui apprenons, comme à tous nos jeunes, à chercher les réponses par elle-même. Parce que la plupart des solutions sont déjà sous nos yeux… il suffit de savoir regarder.

– Mon père me le disait souvent, soupira Spica.

– Ton père est donc un sage. Tu dois en être fière.

Mais certaines questions sont indispensables, ajouta Véridique. Nous vous en avons posé de nombreuses. C'est maintenant ton tour. Il te suffit de m'interroger, je te répondrai avec plaisir.

— Tu sembles en savoir beaucoup sur les Dragons bleus, commença Spica.

— Notre connaissance sur ces Dragons est très ancienne. Elle se transmet de génération en génération. Très peu d'entre nous peuvent se vanter d'avoir vu des Dragons adultes au cours de leur vie. Moi, je n'en ai pas vu beaucoup, et la plupart étaient très jeunes, trente ans au maximum... un peu comme votre ami. Les Dragons bleus vivent très longtemps et passent sur cette île une fois par siècle pour déposer leurs œufs. Personne ne sait comment ils retrouvent le chemin : peut-être l'instinct, ou les foudres... Des bandes entières de Dragons bleus s'arrêtent ici pour quelques mois, et déposent leurs œufs. Des milliers d'œufs qui éclosent au cours des années suivantes.

– Ne doivent-ils pas être couvés ?

– Non. C'est l'île qui s'occupe des œufs. Cette terre est particulière. Elle attire les foudres et en conserve l'énergie pour les Dragons. Il en a toujours été ainsi. Quand les nuages des tempêtes s'accumulent à l'horizon, cette force immense se décharge sur la terre et se transmet aux œufs. Ceux-ci parviennent à maturation selon des rythmes divers qui dépendent de l'endroit où ils reposent. La chaleur du soleil aide aussi à leur développement. Les premiers Dragons qui fendent leur coquille se trouvent sur le flanc sud-ouest de l'île, car c'est là que tombent la plupart des foudres. Quant aux derniers… ils naissent là où nous sommes actuellement.

– Mais quand les œufs s'ouvrent, les bébés Dragons sont seuls. Comment survivent-ils sans personne pour s'occuper d'eux ?

– Ils sont aussitôt capables de se débrouiller. C'est leur nature. Au début ils se nourrissent de ces roches noires, puis de poissons. Ils volent au-dessus de la mer et pêchent en se fiant à leur instinct. Et comme nous veillons sur les œufs, ils nous reconnaissent. L'alliance entre les Dragons et les Elfes Noirs se perd dans la nuit des temps, soupira Véridique. Dès que les petits ont grandi, ils s'envolent et disparaissent, suivant des routes connues d'eux seuls, pour se regrouper en bandes sauvages. Certains choisissent de revenir sur l'île et d'y demeurer. Une fois par an, le Commandant Dresseur de l'île des Chevaliers venait chercher ces Dragons et les dresser au combat.

Spica frissonna.

– C'est terrible, souffla-t-elle tristement.

– Pourquoi terrible ? Les Dragons bleus sont des créatures fières et courageuses. Le lien avec leur cavalier est si fort qu'ils peuvent sacrifier leur vie pour le protéger… En les entraînant à combattre, nous augmentons leur capacité de survivre et de protéger le monde.

Spica se rembrunit.

– Sur l'île des Chevaliers, nous avons vu les squelettes de nombreux Dragons morts auprès de leurs cavaliers.

– Le Dresseur m'a raconté qu'il existait entre les Dragons des amitiés et des alliances, et qu'ils formaient une sorte de famille dont faisaient partie leurs cavaliers. Ils considéraient les Dragons arrivants comme leurs petits : ils prenaient soin d'eux et leur enseignaient les bases de la vie sur l'île, expliqua Véridique.

– Queue-Tranchée a grandi tout seul, parmi les Ogres : est-ce pour cela qu'il est si méfiant ?

– Les expériences que nous traversons nous construisent et nous différencient des autres, c'est vrai. Mais n'oublie pas que Queue-Tranchée demeure un Dragon, c'est-à-dire une créature puissante et fière, difficile à dompter.

Véridique fut interrompu par le son tremblant d'une corne.

Cela ressemblait à un cri désespéré, un appel à l'aide.

Spica frémit.

Queue-Tranchée leva la tête.

– Ça suffit ! s'exclama la jeune Elfe. Je dois agir !

– Tu ne peux rien faire ! tenta de l'arrêter Véridique, tandis que Spica s'approchait de Queue-Tranchée. Tu ne trouveras pas le village, il est invisible aux yeux des Dragons, et il est pourvu de multiples paratonnerres. Le Dragon ne pourrait pas foudroyer les serpents !

– Alors nous volerons autour de l'île. Les serpents d'argent se déplacent dans l'eau et je suis certaine que nous pourrons faire quelque chose !

– Comment ?! cria Véridique.

– Avec l'arc que m'a donné Floridiana ! répliqua-t-elle fièrement.

– Un arc ? Penses-tu que cela suffise contre des serpents d'argent ? Crois-moi, jeune Elfe, reste ici.

– Pour quoi faire ? Tu as toi-même dit que Cape-noire avait fermé le sentier, et que les serpents ne pouvaient parvenir jusqu'ici. Le flanc de la montagne est trop abrupt pour qu'ils l'escaladent. Par contre, Œilvif, le forgeron et les autres Elfes du village sont en danger. Je ne peux pas rester là à attendre la catastrophe ! conclut-elle en serrant les poings.

Véridique observa l'étoile au front de la jeune Elfe qui scintillait vivement. Il secoua la tête en soupirant.

– Ça va, d'accord. Si les serpents ont suivi vos traces, ils sont certainement arrivés par la Voie du Dragon. C'est le seul accès à notre village par les eaux.

Spica étreignit la main du vieil Elfe.

– Merci, murmura-t-elle. Nous reviendrons bientôt.

Elle caressa le cou de Queue-Tranchée qui émit un rugissement et se mit en position de départ.

La jeune Étoilée sauta en selle.

– Allez, mon ami. Nous allons expliquer à ces serpents qu'ils n'ont rien à faire ici !

En un éclair, Queue-Tranchée s'envola.

Spica vit le Cratère Septentrional s'éloigner dans l'obscurité de la mer.

Véridique demeura seul. Il observait l'horizon, inquiet.

Queue-Tranchée volait autour de l'île, Spica sentait son cœur qui battait à tout rompre. Par intermittence, des brumes épaisses voilaient les étoiles, et la faible lumière de la lune ne la réconfortait pas.

Ce n'était pas la première fois qu'elle chevauchait seule le Dragon. Elle l'avait déjà fait sur l'île des Chevaliers, pour aller secourir Ombrage coincé sous les éboulis du phare, et ici, sur l'île de la Lune Montante, pour arracher le jeune Elfe au courant engendré par l'Appel des Mers, dans les eaux du lac.

De nouveau, le Dragon avait décidé de répondre à sa demande, en faisant preuve d'un empressement d'ordinaire réservé à son cavalier. Elle se sentait fière et reconnaissante de cette confiance, mais aussi assez effrayée. Elle ne connaissait pas les gestes pour lui transmettre ses ordres, et cela pourrait poser problème.

Elle essaya de lui indiquer de diminuer son altitude, mais Queue-Tranchée semblait ne pas comprendre. Finalement, désespérée, elle lui cria de descendre.

Queue-Tranchée rugit, battit vigoureusement des ailes, puis les replia et se jeta en piqué.

Un instant, elle crut qu'ils allaient s'écraser, mais elle savait qu'elle devait se fier au Dragon.

Queue-Tranchée déploya les ailes et plana.

Une longue bande blanchâtre apparut sur la mer noire, tandis que d'innombrables traînées argentées se pressaient devant l'embouchure du tunnel sous-marin, dans le lac salé.

Le miroir d'eau limpide dans lequel elle avait plongé avec Ombrage grouillait de serpents marins. Spica saisit son arc, décocha une flèche, puis une autre, tandis qu'ils survolaient le lac. Mais sans cesse, d'autres serpents remontaient de la mer.

Queue-Tranchée rugit et battit des ailes, comme pour lui suggérer de le laisser faire.

– Oui ! Tu as raison ! Toi, tu peux les arrêter ! Foudroie l'entrée de la Voie du Dragon ! lui cria-t-elle dans le vent.

Cette fois, Queue-Tranchée comprit immédiatement. Il savait qu'une partie de l'énergie de sa foudre serait déviée et absorbée par les prismes volants qui entouraient l'île. Alors il en démultiplia la puissance.

Il tendit ses muscles, arqua le cou. Dans un frémissement extraordinaire, la jeune Elfe sentit l'énergie traverser le corps du Dragon, s'accumuler dans sa gorge, puis jaillir de ses mâchoires. Elle vit l'éclair déchirer la nuit et frapper la roche. Son éclat aveuglant l'obligea à se couvrir les yeux.

Les paratonnerres qui voltigeaient sur la côte n'absorbèrent qu'une petite partie de ce déluge de feu.

Un nuage de vapeur s'éleva de l'eau, et de minuscules foudres parcoururent l'île. Les échos d'un écroulement lointain résonnèrent dans l'air.

16

LA DEUXIÈME ÉPREUVE

u prix d'un immense effort, Ombrage se hissa sur la dernière dalle et attendit qu'elle cesse d'osciller.

Il leva les yeux et demeura bouche bée : au-delà de l'ouverture du plafond de la grotte, il apercevait deux prismes entre lesquels vibrait un courant électrique. C'était cette lumière qui projetait des reflets bleus dans la caverne. Il soupçonnait que la faculté des pierres à flotter dans l'air, tout comme celle des prismes de la côte, était liée à cette énergie.

Serrant les dents, il parvint à se hisser par l'ouverture et se laissa tomber sur la roche nue. Le brusque contact du sol lui provoqua un élancement dans la jambe. Il poussa un cri étranglé. De petites décharges électriques jaillissaient autour de lui. Ombrage demeura un moment à terre, étourdi. Puis il rampa pour s'éloigner des gerbes d'étincelles et tenta de se relever.

Il comprit qu'il était arrivé sur le lieu de la Deuxième Épreuve.

Il se trouvait dans un grand espace sombre, parsemé de roches en apesanteur. Un passage semblait s'ouvrir de l'autre côté de la vaste salle. Apparemment, il n'y avait pas de menace, pourtant cet endroit avait quelque chose d'inquiétant qui lui serrait l'estomac.

Il avait l'étrange impression d'être observé. Le jeune chevalier glissa Poison hors du fourreau qu'il avait attaché sur son dos, prit une grande inspiration et fit un pas en avant.

Il avança en claudiquant vers ce qui lui semblait être la sortie, mais au bout de quelques mètres il réalisa que quelque chose n'allait pas. Le terrain était plat, mais tout se passait comme s'il était devenu abrupt, comme si une force externe pesait sur le jeune chevalier et l'obligeait à progresser toujours plus lentement, rendant chaque pas plus pénible que le précédent.

Il haletait et éprouvait l'impression irréelle d'être plongé dans un rêve. Soudain il entendit un fracas et leva les yeux. Les pierres noires, qui jusque-là flottaient tranquillement au-dessus de lui, se mirent à s'agiter en tous sens, comme mues par des élastiques.

Ombrage bondit de côté, juste à temps pour ne pas être heurté. Il roula à terre et tenta de se remettre debout sur ses jambes vacillantes, mais quelque chose le retenait et le faisait glisser.

Il y eut un faible crissement et la salle retrouva son immobilité. Mais à présent une force invisible tirait Ombrage en arrière, l'éloignant de la sortie. Il se concentra sur chaque muscle de son corps en essayant de pointer Poison devant lui. Il avança encore, pied à pied. Sa jambe douloureuse lui compliquait la tâche.

Il avait presque parcouru la moitié de la salle quand un deuxième fracas résonna à ses oreilles. Les pierres recommencèrent à remuer, et la force qui ralentissait sa progression le précipita soudain contre la paroi rocheuse.

Ombrage se jeta à terre pour résister en tentant de s'agripper au sol irrégulier, mais ses doigts glissaient sur les pierres. On aurait dit que quelqu'un s'amusait à le jeter d'un bout à l'autre de la salle comme une poupée de chiffon. Ses mains ne parvenaient pas à trouver une prise. Finalement il repéra une saillie dans la roche et s'y cramponna de toutes ses forces. Mais très vite il réalisa qu'il ne pourrait tenir à la fois Poison et la prise.

Il lui fallait choisir. À ce moment l'épée brilla de reflets verts et lui échappa.

Comme un poignard lancé dans l'obscurité de la grotte, Poison vola à toute vitesse et se cogna contre la paroi du fond, avec un tintement métallique.

La pression diminua légèrement sur le corps d'Ombrage.

Il hurla, tous ses membres le faisaient souffrir, mais le jeune Elfe n'envisagea même pas de renoncer. Il regarda l'éclat verdâtre de Poison et décida qu'il n'irait pas la chercher, il n'en avait pas le temps.

Il avait perdu sa précieuse épée. À présent il devrait affronter d'éventuelles attaques à mains nues… en serait-il capable ?

Il mobilisa toute sa volonté pour ne pas céder au désespoir et, puisqu'il ne parvenait pas à se mettre debout, avança péniblement à quatre pattes. Il atteignit un renfoncement dans la roche et essaya de souffler un peu.

Comme pour l'escalier volant, il devait y avoir un moyen de surmonter cette épreuve en ne comptant que sur ses propres forces, mais lequel ?

À bout de souffle, il essuya la sueur qui baignait son visage. Que faire ? Qu'aurait donc fait Spica ? Comme il aurait voulu qu'elle soit auprès de lui !

Et son père ? Il aurait sûrement trouvé une solution, car c'était un vrai chevalier.

L'évocation de Cœurtenace fit monter dans sa poitrine une vague de tristesse et de douleur. S'il ne surmontait pas les épreuves, il ne le serrerait plus jamais dans ses bras. Et les habitants de l'île des Chevaliers demeureraient éternellement prisonniers du sommeil de pierre. Il ne se le pardonnerait jamais !

Son cœur battait si fort qu'il semblait vouloir s'échapper de la cotte de mailles offerte par son père.

– Non ! hurla-t-il soudain.

Il devait cesser de penser à ce qui arriverait s'il échouait, il devait arrêter de s'apitoyer sur lui-même. Il ne pouvait pas, il ne devait pas capituler !

Les mots que le général Aldebaran répétait toujours au camp d'entraînement du royaume des Étoiles lui revinrent en mémoire : « Ne pensez jamais à vous-mêmes ! Quand nous endossons l'armure, nous ne sommes plus des Elfes ! Nous sommes le rempart qui se dresse entre une lame effilée et des corps innocents ! »

Il n'avait pas d'arme, mais il devait sauver une multitude d'innocents, et, pour eux, il lui fallait surmonter ces obstacles.

Il rassembla ses forces et se remit en marche. Comme s'il luttait contre un courant, il parcourut encore quelques mètres. Il fut sur le point d'atteindre la sortie, puis, comme cela s'était déjà produit, un fracas assourdissant retentit et le monde sembla basculer.

Ombrage fut entraîné de l'autre côté de la caverne par une force irrésistible. Derrière lui il entendit le tintement de Poison, puis il la vit se plaquer sur la paroi au moment même où il heurtait la roche. Ses poumons se vidèrent et, pendant quelques instants, sa vue se brouilla. Le jeune chevalier fut envahi par un sentiment d'impuissance. Il attendit que la force se relâche, mais elle persistait.

Il était cloué à la paroi par une masse invisible. Il essaya de réfléchir. Il était seul, avec pour unique compagnie les reflets verts de Poison, immobilisée, tout comme lui, contre le mur rocheux… et soudain un éclair passa dans ses yeux.

Poison était une épée. Elle était en métal.

Elle lui avait échappé des mains, comme attirée par un aimant et maintenant elle était collée à la paroi.

Métal ! C'était la clef de tout ! Lui aussi était vêtu de métal !

Il déplaça sa main gauche et défit les fermetures de sa cotte de mailles. À grand-peine il en ouvrit une, puis une autre, et une troisième. Plaqué par

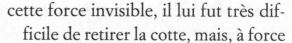

cette force invisible, il lui fut très difficile de retirer la cotte, mais, à force de contorsions douloureuses, il y parvint.

Il décida de se défaire aussi de l'Anneau de Lumière : depuis qu'il l'avait mis à son doigt, il n'avait pas pu l'enlever, mais cette fois le cercle de métal, mu par cette force d'attraction inouïe, glissa docilement de sa main et adhéra à la roche noire.

Enfin libre, Ombrage put progresser à nouveau.

En boitant, il atteignit la sortie et se laissa tomber à terre pour reprendre son souffle.

Juste à ce moment, un immense fracas éclata dans la grotte. Les roches volantes tourbillonnèrent en haut, tandis qu'en bas Poison, la cotte de mailles et l'Anneau de Lumière volèrent d'un côté à l'autre de la grotte, frappant violemment la roche.

Avec un frisson, Ombrage disparut dans l'obscurité d'une autre galerie, sans plus aucune protection.

Quelle que soit la menace qui l'attendait au bout du chemin, il devrait l'affronter avec ses seules forces.

17
LE TRÉSOR DE L'ÎLE

L a lune resplendissait dans le ciel noir. Véridique entendit de puissants battements d'ailes et se tourna vers l'orient. Une ombre gigantesque masqua les étoiles.

Les pattes de Queue-Tranchée touchèrent le sol. Spica, le visage pâle, les cheveux en bataille et les yeux rougis par le vent, descendit de selle.

Véridique l'interrogea du regard et elle sourit.

– L'entrée de la Voie du Dragon s'est écroulée. Les serpents n'atteindront plus le village. En tout cas, pas par là, résuma-t-elle en s'asseyant sur une pierre.

Le vieil Elfe sourit à son tour, et posa une main sur son épaule.

Elle garda le silence pendant un long moment, puis se laissa glisser à terre et prit son visage dans ses mains gelées.

Véridique s'assit à ses côtés et se mit à chantonner à voix basse une étrange mélopée que Spica n'avait jamais entendue. Elle évoquait les Dragons et la solitude de l'île de la Lune Montante. Peu à peu, la peur et la rage fondirent dans le cœur de la jeune Elfe.

– Je n'avais pas réalisé… dit-elle quand Véridique cessa de chanter. Je n'avais pas compris ce que cela signifiait de chevaucher un Dragon comme Queue-Tranchée.

Le vieil Elfe la regarda intensément : elle tremblait, et le Dragon semblait inquiet pour elle.

– Je n'avais pas imaginé que ce puisse être aussi… terrible, continua la jeune Étoilée. Il était si furieux contre ces serpents que, quand il les a frappés, l'île entière a tremblé et l'entrée du tunnel s'est effondrée. Un instant, j'ai cru mourir moi aussi. Il ne s'était jamais comporté ainsi avec Ombrage, même pour le défendre. J'espère qu'il n'y avait pas d'Elfes en bas… j'espère que…

Sa voix s'éteignit.

Queue-Tranchée grogna et lança un coup d'œil vers le cratère.

Véridique, immobile, réfléchissait aux paroles de la jeune Elfe.

– Tu as bien compris. Le lien entre le Dragon et son cavalier est très particulier, car chacun d'eux éprouve les sentiments de l'autre : la rage, la peur, le bonheur ou l'impatience. Un Dragon bleu n'est pas un simple compagnon de voyage. C'est pourquoi un chevalier ne peut être choisi au hasard : il doit être capable de se maîtriser même dans les moments les plus difficiles. Sinon, le fait de détenir entre ses mains la puissance destructrice de cette créature pourrait lui monter à la tête, comme ce fut le cas pour Hautemer, ou au contraire l'épouvanter et lui faire perdre sa lucidité, au point qu'il devienne un danger pour les autres et pour lui-même. Les Dragons aussi éprouvent des émotions ; si ce qui leur appartient est menacé, ils peuvent devenir terribles. Je crois que Queue-Tranchée a simplement voulu tenir la promesse qu'il avait faite à son chevalier.

– La promesse ? s'étonna-t-elle.

– De te protéger, toi et tous les habitants de l'île,

répondit Véridique. Et maintenant il attend qu'Ombrage tienne la sienne : revenir vers lui.

Spica, pâle et épuisée, ferma les yeux.

– J'ai senti sa force parcourir mon propre corps, comme si c'était moi qui crachais ces foudres…

– Le Dragon et son cavalier ne forment qu'un, conclut Véridique, avant de se plonger dans ses pensées.

Sans aucun entraînement, ces deux jeunes Elfes avaient fait preuve d'une habileté extraordinaire avec ce Dragon. Entre Ombrage et Queue-Tranchée s'était sans doute nouée une alliance instinctive, plus forte que celle qui lie d'ordinaire un Dragon à son cavalier. Deux créatures désemparées avaient uni leurs forces dans un but commun. Mais à présent il fallait que cette alliance se consolide et s'approfondisse : le chevalier et le Dragon devaient devenir adultes.

Spica interrompit ses réflexions.

– Queue-Tranchée a choisi Ombrage, dit-elle en caressant les écailles du Dragon. Tout comme Floridiana. Et pourtant vous vous méfiez de lui. L'opinion des Fées et la fidélité du Dragon n'ont-elles pas de valeur à vos yeux ?

– Les Elfes Noirs sont méfiants. Par le passé, plusieurs chevaliers ont reçu une confiance qu'ils ne méritaient pas. C'est pour cela qu'Altière a été si dure avec Ombrage et toi. Elle ne parlait pas seulement pour elle-même, mais au nom de tous les chevaliers et habitants de l'île.

– A-t-elle déjà possédé un Dragon ? demanda Spica.

Véridique soupira.

– Un Dresseur ne peut pas avoir son propre Dragon. Ils sont jaloux de leur cavalier : si on en possède un, il est impossible d'en dresser d'autres. Altière considère tous les Dragons comme les siens. Les découvrir morts ou pétrifiés fut un choc terrible pour elle. La cicatrice qu'elle porte au visage n'est rien en comparaison de celle qui balafre son cœur. Pourtant, même aux heures les plus sombres, elle a toujours conservé l'espérance.

– Et elle a emmené le fragment ici, conclut Spica.

Véridique acquiesça.

– Ce n'est pas par défiance qu'elle a imposé les Trois Épreuves à Ombrage.

– Alors pourquoi ? Je ne comprends pas : nous

avions déjà surmonté tant d'obstacles pour parvenir jusqu'ici !

– Vous avez affronté de terribles dangers, mais il ne s'était pas encore retrouvé face à lui-même. Il est plus facile de vaincre les ennemis que ses propres faiblesses. Ce n'est pas Altière qui teste Ombrage, c'est lui-même qui se met à l'épreuve. Pourtant, ne crains rien, d'après ce que j'ai vu et senti, je suis certain qu'il en sortira victorieux.

Spica se tut un long moment, puis demanda :

– Son père fut-il soumis à ces épreuves ?

– Comme tous les chevaliers. Altière aussi, confirma l'Elfe.

– Et en quoi consistaient-elles ?

Véridique sourit.

– Oh cela, personne ne le sait. Maintenant, dors quelques heures. Je monterai la garde jusqu'à l'aube.

Spica le remercia et appuya sa tête sur les écailles du Dragon, en regardant les étoiles.

Le vent du matin agita les buissons, et Spica se réveilla en sursaut.

Le corps puissant du Dragon l'entourait, et la jeune Elfe se sentit en sécurité.

Elle se leva, quelque peu engourdie, et marcha jusqu'au bord du cratère. Elle regarda le flanc de la montagne jusqu'à la mer, craignant d'apercevoir les spires argentées des serpents, mais ne vit que les crêtes d'écume qui couronnaient les vagues.

Tout paraissait tranquille.

– Cette île est vraiment un lieu étrange…

Lui revint en mémoire la chanson que Véridique avait entonnée cette nuit.

Sans s'en rendre compte, tout en cheminant le long du cratère, elle se mit à fredonner, comme elle le faisait souvent quand la sérénité de l'instant lui semblait irréelle. Elle ne voulait pas penser aux serpents. Elle ne voulait pas penser qu'Ombrage était aux prises avec lui-même. Elle ne voulait pas penser que, peut-être, à l'issue de ces épreuves, Ombrage se sentirait différent. Et que, peut-être, dans sa vie de chevalier, il n'y aurait plus de place pour personne, excepté pour Queue-Tranchée.

Spica chassa cette pensée en chantant plus fort.

Elle n'avait pas de raison de se sentir triste. Ombrage n'oublierait pas ses amis. Il ne l'oublierait pas. Elle devait en être certaine.

Lentement, tandis que ses muscles endoloris s'assouplissaient peu à peu, Spica grimpa sur un rocher plus élevé pour scruter la mer, vers l'île des Chevaliers.

Véridique l'observait. Il allait la rejoindre quand un discret grésillement le fit se retourner.

Un scintillement apparut parmi les roches et le vieil Elfe retint son souffle.

Dans l'air léger du matin, le son se répercuta parmi les roches et Spica se retourna.

Comme éveillé par le chant de la jeune Elfe, un des derniers œufs de Dragon bleu frémit et se fendit. Des étincelles couleur azur s'échappèrent de la coquille sombre.

Queue-Tranchée se glissa rapidement derrière Véridique. Le vieil Elfe regardait ce qui s'accomplissait devant lui. Immobile dans la lumière de l'aube, il contemplait l'œuf de Dragon qui se découpait suivant une ligne lumineuse d'où jaillit un éclair aveuglant.

Spica dévala le flanc du cratère et rejoignit Véridique.

Le trésor de l'île était sorti du sommeil et s'ouvrait comme une fleur à l'aurore.

Ensuite il ne resterait plus que douze œufs.

Les derniers.

18
L'ULTIME ÉPREUVE

Reclus au cœur de la montagne, Ombrage ignorait que l'aube était proche, et qu'un nouveau jour pointait.

Dans cette obscurité tout semblait très lointain. Le bruit de ses pas claudicants se répercutait le long des galeries qui lui en renvoyaient des échos distordus.

Y avait-il quelqu'un ou quelque chose devant ? Ou peut-être derrière lui ?

Il s'arrêta pour écouter, mais bientôt les sons cessèrent pour laisser place à un silence glacé.

Le jeune Elfe frissonna dans sa tunique trempée et se remit en marche, les pieds immergés dans une mince couche d'eau. Il commençait à ressentir le froid et la douleur, mais ne pouvait s'arrêter. Il ne savait pas combien de temps s'était écoulé depuis le début des épreuves, et ce qu'il était advenu des autres…

Où donc Altière avait-elle caché le fragment du

Bouclier ? Comment avait-elle pu penser qu'il serait vraiment en sécurité ? S'il pouvait surmonter ces épreuves, elles étaient donc à la portée de n'importe qui !

Comme il aurait voulu sentir la caresse du vent sur son visage, entendre le bruit des ailes de Queue-Tranchée ! Comme il aurait voulu voir les étoiles dans le ciel... Et juste à ce moment, l'étoile de son front, la seule source lumineuse qui lui restait, se mit à trembler.

Ombrage s'arrêta, en proie à une sensation de vertige.

Que se passait-il ?

Instinctivement, il porta la main à son front et la lumière de son étoile s'affaiblit. Ombrage fut pris de panique. Il n'y avait qu'une raison pour laquelle l'étoile d'un Elfe s'éteignait. Elle s'était éteinte au front de Spica quand les serpents l'avaient attaquée et qu'elle avait été toute proche de l'agonie. Et à présent...

Était-il en train de... mourir ?

C'était impossible ! Malgré l'épuisement, le froid qui lui gelait les os et sa tête bourdonnante, il marchait. Il avança encore, s'appuyant aux parois noires, essayant de dominer la peur dans sa poitrine. Tout lui semblait flou, comme embrumé.

Soudain une bouffée gelée fit comprendre à Ombrage que la voie s'élargissait. Claquant des dents à cause du froid, il fit quelques pas dans ce qui devait être une autre grotte. Ses poumons s'emplirent d'un air glacé, et un violent frisson le secoua de la tête aux pieds, l'obligeant à se frictionner le corps.

Comment, dans cette île où il avait vu brûler les flammes au cœur de la terre, où le soleil chauffait les roches à blanc, comment pouvait-il faire soudain si froid ?

Ombrage avança encore, contournant une sta-lactite de glace tombée au milieu du passage. Brus-quement la faible lueur de son étoile frémit puis s'éteignit complètement. Le silence l'enveloppa, le laissant seul et sans défense dans l'obscurité humide de la montagne.

Ombrage ferma les yeux, puis les rouvrit. Le cœur battant, il regarda autour de lui, mais ne distinguait rien. L'obscurité était si dense, oppressante. Comment pourrait-il se déplacer dans ce lieu inconnu sans la moindre lumière ?

Il demeura immobile quelques instants, puis réalisa que s'il ne bougeait pas, il finirait congelé.

Un crissement léger attira son attention.

On aurait dit un bruit de pas sur la neige.

Il tenta de se retourner pour faire face à un ennemi éventuel, mais ses jambes étaient raides comme deux pains de glace.

Progressivement l'obscurité qui l'entourait fut parcourue d'étranges reflets et sembla irriguée par une mystérieuse source lumineuse.

Ombrage regarda autour de lui. Il se trouvait dans une petite salle entourée de stalactites recouvertes de cristaux, si longues qu'elles ressemblaient à des colonnes. Et, derrière une de ces colonnes quelque chose bougea.

– Oh, Ombrage… gémit une voix.

« Spica ? » pensa le jeune Elfe, à la fois stupéfait et soulagé. Il essaya de dire quelque chose mais aucun son ne sortit de sa bouche.

Que faisait-elle ici ? Était-elle venue pour l'aider ? Mais comment l'avait-elle rejoint ?

La silhouette lui parut plus proche, mais elle demeura derrière la colonne de cristal. Ombrage reconnut les traits fins et les grands yeux de Spica.

Pourtant, c'était étrange, sur son visage pâle se dessina un sourire si triste qu'Ombrage en fut bouleversé.

La jeune Elfe ne le regardait pas, elle baissait les yeux, comme pour dissimuler quelque chose... peut-être des larmes?

Ombrage sentit son cœur s'arrêter. Non, ce n'était pas Spica, du moins pas la Spica qu'il avait laissée avec Queue-Tranchée avant de partir affronter les Trois Épreuves. Dans cette lumière ténue, il réalisa que ses cheveux n'étaient pas blonds mais blancs, et que ses mouvements n'avaient pas leur vivacité habituelle. Son visage était strié de rides.

Pourtant c'était la voix de Spica.

– Si nous avions su comment tout cela finirait… tu ne serais pas venu ici et tu n'aurais pas gâché ta vie, n'est-ce pas ? Tu ne m'aurais pas emmenée avec toi, murmura la mystérieuse silhouette d'une voix brisée.

Ombrage la fixa. Il ne comprenait pas mais ne trouvait pas la force de l'interroger. Il essaya de parler, mais il avait trop froid et son esprit flottait en pleine confusion. C'était comme si son corps était soudain devenu trop lourd pour réagir.

Des larmes tombèrent des yeux de cette étrange Spica et se transformèrent à l'instant en perles de glace.

– Je ne peux rien te reprocher, continua-t-elle. C'est moi qui ai voulu te suivre. Mais tu n'aurais pas renoncé à ta vie au royaume des Étoiles s'il n'y avait eu aucune chance de sauver des innocents, n'est-ce pas ?

Oui, c'était bien la voix de Spica. Cette même voix qui l'enchantait quand elle contait des histoires.

Elle secoua sa chevelure blanche, plus triste que jamais, le dos courbé comme sous un poids.

– Tu n'aurais pas tourné le dos à une vie simple et tranquille pour poursuivre un rêve de gloire person-

nelle, n'est-ce pas ? Tu n'aurais
pas renoncé… à moi ? Je t'aimais, je croyais que tu le
savais, et je t'ai attendu
toutes ces années. Avant
de mourir, Altière m'a
révélé où tu étais, mais
je n'ai trouvé que
maintenant le cou-
rage de venir jusqu'à
toi… oh, tant d'an-
nées sont passées. Tant
d'années. Trop d'années.
Nous sommes devenus
vieux. L'île des Chevaliers
a disparu dans les abysses, et
Queue-Tranchée est mort en tentant de la sauver.
C'était ma faute : je lui avais demandé d'essayer.
Après son échec, il est tombé dans la mer ; alors des
milliers de serpents l'ont encerclé et dévoré. Nous
avons cherché à le secourir, mais que pouvions-nous
faire ? Ensuite, ces créatures se sont ruées sur l'île.
Depuis, nous subissons leurs attaques ; nous ne pouvons nous enfuir ni par la mer ni par les airs… nous

sommes pris au piège. Plus aucun Dragon n'est venu déposer ses œufs, et aucun de ceux qui se trouvaient déjà sur l'île n'a éclos. Nous avons perdu... parce que tu as perdu. Nos vies se sont éteintes une à une, après que la tienne s'est figée...

Elle se tut un instant, puis elle rit tristement en secouant sa chevelure blanche et poursuivit :

– Par une étrange ironie du sort, tu t'es changé en statue de glace ! Tu as rejoint le destin des autres chevaliers. Comme ton père. Comme tous les habitants de l'île des Chevaliers... tu es semblable à eux, et pourtant différent. J'espère au moins que cela te console. J'espère que ton âme s'est unie aux leurs, même si cela ne diminue pas mon chagrin. J'ai perdu ma famille, mon frère, mon père et mes amis... je t'ai perdu, toi, et Queue-Tranchée, sanglota-t-elle. Les serpents ont emporté Œilvif, Capenoire, Véridique, et presque tous les Elfes Noirs du village. Je sais que tu as lutté de toutes tes forces. Tu luttais toujours. Moi aussi j'ai essayé, mais ça n'a pas suffi... Floridiana avait dit que tu réussirais. Elle en était certaine. J'en étais certaine. Mais toi ?

Ombrage se sentait comme dans un cauchemar. La voix de Spica avait évoqué la mort de Queue-

232

Tranchée, la disparition de l'île des Chevaliers et des Elfes Noirs. Il aurait voulu crier, mais aucun son ne sortait de sa gorge, il aurait voulu bouger, mais n'y parvenait pas ; il aurait voulu la faire taire, mais il en était incapable. Sa tête bourdonnait : les images de mort et de douleurs défilaient dans son esprit.

Des années ? Se pouvait-il qu'il ait mis des années à accomplir l'épreuve ? Et qu'il n'ait pas réussi à récupérer le troisième fragment ?

Spica avait raison. C'était sa faute. Seulement sa faute. Il n'aurait jamais dû l'emmener avec lui, et encore moins la laisser seule. C'était sa venue qui avait conduit les serpents jusqu'à l'île de la Lune Montante, et personne, pas même les Fées, n'avait pu s'y opposer. Floridiana l'avait prévenu : il serait seul, mais jusqu'à la fin il avait espéré qu'il pourrait compter sur ses amis. Et c'est ainsi qu'il les avait tous condamnés, un à un.

Le temps était passé, et il était demeuré dans cet endroit mystérieux, loin de tout, pris au piège de cette immobilité glacée. Ce devait être la Troisième Épreuve. Altière avait vu juste : il ne s'était pas montré à la hauteur. Il n'avait pas agi en chevalier.

Il avait perdu.

La douleur d'avoir déçu les attentes de son père, de Spica, de Floridiana, lui brisa le cœur. Puis peu à peu, il se mit à penser que ce n'était pas cela le pire. En vérité, il s'était surtout déçu lui-même. Et maintenant, il ne pourrait plus vivre la vie dont il avait osé rêver. Il ne pourrait pas revenir sur l'île des Chevaliers, sauver ses habitants et reconstruire ce qui avait été détruit. Il ne pourrait plus étreindre Spica, ni voir son sourire, ni l'emmener se promener le long de la côte, comme il s'était toujours promis de le faire dès que possible. Il ne pourrait plus embrasser son ami Regulus, ni lui demander de prendre en charge la bibliothèque des chevaliers. Il ne verrait plus le joli visage entêté de Robinia… Il ne caresserait plus le museau de Queue-Tranchée, ils ne vivraient plus ensemble l'enivrante liberté du vol. Tous ceux à qui il tenait étaient vieux ou décédés, et ils ne lui pardonneraient pas. Lui-même devait avoir vieilli sous cette gangue de glace. Voilà pourquoi l'étoile de son front s'était éteinte. Voilà pourquoi il se sentait exténué et souffrant.

Qu'était-il donc advenu au royaume de la Fantaisie ? Se pouvait-il que les peuples et les créatures courageuses qu'il avait connues se soient rendus ? Non, c'était impossible. Il en était certain. Quelque part, quelqu'un luttait encore. Quelqu'un qui pourrait avoir besoin de son aide.

Lentement, l'ombre vieillie de Spica disparut. Ombrage ne s'en aperçut même pas. Une pensée venait de traverser son esprit, en rallumant dans son sillage la flamme de l'espérance. Une idée qui avait interrompu toutes les autres, comme une traînée de poudre.

Altière savait où était le fragment. C'était elle qui l'avait dissimulé. Alors pourquoi ne l'aurait-elle pas utilisé elle-même ? Pourquoi ne serait-elle pas intervenue pour éviter que tout ne soit détruit ?

Un éclair chaud jaillit sur le front d'Ombrage. Une goutte glissa sur son visage et tomba à terre comme une larme scintillante.

Non, pensa-t-il, ce n'était pas possible. Altière était une Dresseuse de Dragons, elle appartenait à l'ordre des Chevaliers de la Rose et elle aurait lutté jusqu'au bout pour sauver des innocents.

Non, décidément, il ne pouvait en être ainsi.

La Troisième Épreuve, c'était maintenant qu'il la subissait. Maintenant qu'il devait affronter le Visage Inconnu, l'ennemi le plus difficile à vaincre : la perte de toute espérance.

L'étoile scintilla, et sa chaleur enfiévra son front. Espérance.

Une autre goutte glissa le long de sa joue.

Peu à peu, Ombrage sentit s'évanouir la morsure du gel qui l'immobilisait. À l'instant où l'air emplissait à nouveau ses poumons, sous ses pieds, le sol de glace céda, et le jeune Elfe tomba dans un minuscule lac souterrain peu profond. Il fut envahi par la tiédeur de cette eau limpide et calme.

La faible lumière qui éclairait la grotte de glace émanait du fond de ce lac, parcouru par des reflets azur d'une beauté sidérante.

Ombrage demeura immobile, le temps de reprendre ses esprits, et soudain, il le vit.

Le dernier fragment du Bouclier des Chevaliers reposait au fond de l'eau.

Épuisé, mais plus décidé que jamais, Ombrage plongea vers le fragment. Il le saisit, puis, d'une vigoureuse impulsion des jambes, remonta à la surface.

En quelques brasses il s'approcha de la berge. Il posa un pied sur la rive et vit quelque chose bouger parmi les stalactites qui entouraient la pièce d'eau.

Ombrage tressaillit, craignant de revoir le visage vieilli de Spica.

Devant lui, apparut une silhouette vêtue de noir. Les yeux sombres d'Altière le fixèrent, puis elle tendit la main et l'aida à sortir de l'eau.

19

AILEDARGENT

Spica recula, éblouie par l'éclair silencieux qui avait jailli de l'œuf.

Queue-Tranchée poussa un rugissement : il n'avait pas oublié qu'Ombrage l'avait chargé de veiller sur elle et Véridique. Il saisit le vieil Elfe par la tunique et d'un bond se plaça devant Spica pour la protéger de son aile.

Mais la jeune Elfe se dégagea de cette protection affectueuse. Elle se laissa tomber à genoux et écarta les éclats de roches.

– L'œuf ? souffla-t-elle.

– L'œuf, confirma la voix émue de Véridique. Le premier… depuis tant d'années !

Un réseau d'étincelles bleutées enveloppait la coquille fêlée. Queue-Tranchée raidit ses ailes, en position défensive.

Véridique souriait. Cela faisait si longtemps qu'on ne voyait plus de petits Dragons bleus sur cette île.

Spica posa une main sur le cou de Queue-Tranchée, comme le faisait Ombrage, et le rassura :

– Reste calme, tout va bien.

Le Dragon hésita, puis replia doucement ses ailes.

Autour de l'œuf, les faisceaux électriques avaient disparu. Au milieu d'un nuage de vapeur qui sentait le soufre, un petit museau blanc argenté pointa de la fente de la coquille, l'ouvrant entièrement. Deux grands yeux d'un jaune intense surgirent de l'œuf.

Spica vit Queue-Tranchée reculer en reniflant, tandis que le petit Dragon, intrigué et nullement impressionné, poussa un léger grognement. Il souffla une bouffée jaunâtre, puis ses minuscules griffes saisirent les bords de la coquille ouverte, et les dents commencèrent à grignoter les excroissances de pierre qui la recouvraient.

– Il est blanc, murmura la jeune Elfe, surprise.

– Blanc argenté, oui, mais en grandissant il deviendra aussi bleu que Queue-Tranchée. À force de manger ces roches, ses écailles s'épaissiront, expliqua Véridique. Je crois que le moment est venu de lui trouver un nom. As-tu une idée, jeune Elfe ?

Spica rougit.

– Je ne saurais pas. Je pense que d'autres seraient beaucoup plus qualifiés que moi pour donner des noms aux Dragons. Je viens juste d'arriver et…

– Tu as assisté à sa naissance, donc à toi l'honneur de nommer ce nouveau seigneur du ciel. Allez.

– Oui, nous serons heureux que ce soit toi qui le baptises ! lança soudain la voix de Capenoire. Par bonheur vous allez bien. Quand j'ai vu cet éclair, j'ai craint le pire.

Il venait de surgir de nulle part. Il portait un bras en écharpe et plusieurs blessures au visage.

D'autres Capes Noires apparurent derrière lui et restèrent bouche bée devant ce bébé Dragon qui, entre étincelles et gazouillis satisfaits, grignotait l'œuf dans lequel il avait grandi durant de très longues années.

– Un nom ! Vite, il faut un nom ! s'exclama une voix derrière Capenoire.

Spica regarda encore le petit animal.

– Ailedargent. Tu t'appelleras Ailedargent… ça te plaît ?

Le Dragonnet affamé sortit difficilement de la coquille pour aller ronger une pierre plus grosse. Il y eut un bruit sec et une petite foudre jaillit.

Véridique recula d'un pas.

– On dirait que ça lui plaît ! commenta-t-il.

Tous éclatèrent de rire, épuisés mais heureux.

Altière sourit. Pour la première fois son visage exprimait un sentiment amical.

Ombrage saisit son bras et sortit de l'eau, essayant de ne pas trop s'appuyer sur sa jambe douloureuse.

– Sois tranquille, tu n'es pas obligé de me révéler quelle a été ta dernière épreuve. C'est toujours la plus difficile, précisa l'Elfe Conseillère à Ombrage. C'est la seule qui puisse nous rendre humble. Chaque chevalier la porte en son cœur, durant toute sa vie. Viens. Nous avons beaucoup à faire.

Le jeune Elfe regarda autour de lui, en toussant.

– Comment ai-je pu voir ce lieu recouvert de glace ? On dirait plutôt des sources thermales…

– C'est juste. Mais sache que ce que tu as vu et entendu durant la Troisième Épreuve est le fruit d'une hallucination : c'est ton esprit qui a donné vie à tes peurs les plus profondes.

Puis elle baissa son regard sur la cheville d'Ombrage et ajouta :

– Par bonheur ce n'est qu'une entorse, et ta botte l'a empêchée d'enfler.

Elle releva les yeux et croisa le regard interrogatif du jeune Elfe qui tentait de donner sens à l'expérience qu'il venait de vivre.

Altière continua :

– Le véritable objectif de la Troisième Épreuve est de montrer aux aspirants chevaliers leurs fai-blesses, et de les pousser à trouver un chemin pour les vaincre. Ce n'est qu'après avoir regardé en face son Visage Inconnu qu'un chevalier est en mesure d'af-fronter n'importe quelle situation, sans perdre la foi, conscient de ses propres limites, mais sans qu'elles le dominent. Quand tu es arrivé ici avec l'Anneau de Lumière au doigt, et que tu as surmonté l'épreuve de la Bouche de la Vérité, j'ai compris que, par ton cœur et tes actions, tu étais déjà un chevalier. Mais je ne savais pas si tu t'étais déjà trouvé face à la partie la plus profonde et la plus obscure de toi-même. C'est pourquoi j'ai voulu te soumettre à la dernière épreuve. Tu devais la surmonter tout seul, car c'était l'unique moyen pour que tu puisses affronter l'avenir, quel qu'il soit.

Ombrage gardait le silence, réfléchissant aux paroles de l'Elfe Conseillère. Celle-ci continua :

– Je suis désolée de m'être montrée dure envers toi. Les deux premières épreuves n'étaient pas impossibles à surmonter, mais elles étaient difficiles pour quelqu'un qui n'aurait pas reçu des dons de chevalier. La première servait à tester non seulement ta ténacité mais aussi ton intelligence, ta capacité à résoudre des énigmes, car, sans cette qualité, personne ne peut prétendre au titre de chevalier. La deuxième était destinée à éprouver ta faculté de décision : abandonnerais-tu tes armes, ta cuirasse, et surtout l'Anneau de Lumière pour affronter le reste de l'épreuve, en ne pouvant compter que sur toi-même, ou bien t'entêterais-tu à vouloir les récupérer, en renonçant à la mission qui t'avait été confiée ?

Altière montra la cotte de mailles et l'épée qui reposaient à terre.

– Je savais que le choix serait particulièrement difficile

pour toi, reprit-elle. Dès que j'ai vu ta cotte et ton épée, j'ai compris que tu les avais reçues de ton père. Il était évident qu'il s'agissait de précieux souvenirs…

Ombrage acquiesça et, le corps encore endolori, se fit aider à endosser sa cotte de mailles. Puis, revigoré par les mots de l'Elfe Conseillère, il replaça Poison dans son fourreau.

– Mais la véritable épreuve, c'était la dernière, ton épreuve. Chaque chevalier affronte à cette occasion l'aspect le plus caché de lui-même. Moi, qui désirais plus que tout devenir Dresseuse, je vis une bande de Dragons bleus, que j'avais élevés, attaquer un village d'Elfes… et pendant un moment, je ne me sentis plus à la hauteur de mon devoir.

Ombrage fixa Altière. Pour la première fois il réalisait sa force d'âme, mais aussi sa tristesse et sa volonté obstinée de résister. Puis il soupira en repensant à ce qu'il avait vécu :

– Et moi j'ai vu les êtres qui m'étaient les plus chers décimés par ma faute, murmura-t-il.

À cet instant il s'aperçut que l'Anneau de Lumière était revenu à son doigt.

– Mais comment… ?

– Je l'ignore, lui répondit l'Elfe Conseillère antici-

pant sa question. Je sais seulement que c'est l'Anneau de
Lumière qui choisit celui
qui doit le porter.

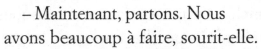

Ombrage le retira de sa
main et le pendit à nou-
veau à son cou, à côté du
médaillon de son père.

– Maintenant, partons. Nous
avons beaucoup à faire, sourit-elle.

Dans les yeux d'Altière, Ombrage vit briller le reflet
de sa propre étoile, plus intense que jamais.

– Le jeune Elfe n'est toujours pas rentré ? s'inquiéta
Capenoire en s'approchant de Spica, de Véridique et
de Queue-Tranchée.

Les gardes ne parvenaient pas à détacher leur regard
du bébé Dragon, car son apparition ouvrait une nouvelle ère pour l'île. Une renaissance.

– Non, dit Véridique en souriant. Mais ne te fais
pas de souci, il reviendra. J'en suis certain.

– Les serpents ont-ils été défaits ? s'enquit Spica. Le village est-il en sécurité ?

– Nous les avons finalement vaincus, mais seulement grâce à ton intervention et à celle de Queue-Tranchée, expliqua Capenoire en saluant le Dragon d'un signe de tête.

Celui-ci s'ébroua fièrement et Spica ne parvint pas à retenir son rire.

Puis Queue-Tranchée fit un mouvement si brusque qu'il faillit faire tomber la jeune Elfe. Capenoire la rattrapa juste à temps et, en se retournant, ils comprirent la raison de cette agitation.

Ombrage venait d'apparaître sur le flanc de la montagne, accompagné d'Altière. Queue-Tranchée s'élança et posa son immense tête sur l'épaule de son cavalier qui le caressa tendrement.

Spica sentit les larmes inonder son visage.

Ombrage serrait Queue-Tranchée dans ses bras, mais les contusions causées par les épreuves lui firent pousser un gémissement de douleur, et le Dragon se retira prestement craignant de lui avoir fait mal.

– Ne t'en fais pas. Ce sont les marques de la valeur de ton cavalier, expliqua Altière. Il les portera sur son corps jusqu'à ce qu'elles guérissent, et il les portera dans son cœur jusqu'à sa mort. Sois fier de lui.

Comme s'il avait parfaitement compris, Queue-Tranchée tendit le cou.

Ombrage s'appuya sur son ami en souriant, et lui montra le fragment :

– Regarde, j'ai réussi !

– Maintenant il ne nous reste plus qu'à le remettre à sa place, murmura timidement Spica en esquissant un pas en avant.

Ombrage leva les yeux sur elle. C'était sa Spica, la jeune Elfe qui n'avait jamais cessé de lui faire confiance ! Il demeura immobile.

Elle eut un mouvement de recul, craignant d'avoir interrompu un échange où elle n'avait pas sa place. Mais Ombrage s'approcha et déposa un baiser sur sa joue en lui chuchotant : « Merci ». Puis tous les deux baissèrent les yeux, embarrassés.

Queue-Tranchée s'ébroua.

Les yeux brillants, Spica tendit le doigt et balbutia, émue :

– Regarde, le petit Ailedargent est né !

Altière baissa la tête. Un sourire furtif passa sur ses

lèvres, et elle s'approcha du bébé. Ombrage et Spica la suivirent.

Capenoire tendit la main au jeune Elfe.

– Heureux que tu sois de retour, chevalier ! lui lança-t-il amicalement. Maintenant que tu as le fragment, dis-moi : comment pouvons-nous t'aider ?

20
PRÉPARATIFS

La matinée s'écoula rapidement, occupée par les préparatifs de l'expédition. Il ne restait plus qu'à remettre à sa place le fragment retrouvé, et à reconstituer enfin le Bouclier des Chevaliers. Alors, l'île des Chevaliers serait sauvée, ainsi que toutes les créatures pétrifiées.

Mais d'abord, il fallait soigner la cheville foulée d'Ombrage pour qu'il puisse voler et combattre, même si, pour l'instant, les serpents semblaient vaincus. Ces derniers jours, les vigiles qui surveillaient l'île des Chevaliers grâce à de puissantes longues-vues n'avaient noté aucune menace.

Spica courait d'un garde à l'autre pour distribuer messages et nourriture.

De temps en temps, elle lançait un regard attendri sur Ailedargent. De nombreux Elfes lui apportaient des pierres noires qu'il mordait à belles dents. Puis il étendait au soleil ses ailes fripées dont la fine membrane était encore trop fragile pour lui permettre de voler. Ses yeux étaient si ronds et doux qu'il était impossible de ne pas éprouver de sympathie pour lui.

Sous la lumière du matin, le Cratère Septentrional avait pris les allures d'une place en fête. Spica remarqua que les Elfes Noirs, d'ordinaire sévères et réservés, semblaient beaucoup plus ouverts.

Fortepoigne, sous la conduite de Capenoire, était venu s'excuser auprès d'Ombrage et surtout de Queue-Tranchée, pour son comportement irréfléchi. Ombrage lui avait évidemment pardonné. Il l'autorisa même à toucher le museau de son ami Dragon.

L'air était vif, le soleil resplendissait dans le ciel. Sans y penser, Spica passa la main sur sa joue, se souvint du baiser, et se sentit rougir de plaisir.

Elle s'approcha du feu sur lequel Véridique, en compagnie d'un jeune soldat, faisait griller de gros navets épicés. Elle en demanda une portion pour elle et pour Ombrage.

Altière, après avoir soigné le jeune chevalier, était venue s'asseoir près du foyer et, plongée dans ses pensées, observait le petit Dragon.

Spica essaya de l'éviter. Son regard l'intimidait.

Véridique servit deux assiettes plus abondantes que les autres.

– Je ne voudrais pas priver les Elfes Noirs, murmura Spica en s'en apercevant.

– Oh sois tranquille, il y en aura assez ! De plus, ceux qui chevauchent des Dragons ont besoin d'énergie ! s'exclama-t-il en clignant de l'œil.

– Eh bien… merci alors, dit-elle timidement en s'éloignant.

– Un moment ! siffla Altière.

Spica se sentit transpercée par ses yeux noirs et obéit.

L'Elfe Conseillère porta son regard sur le bébé Dragon.

– Parle encore, lui lança-t-elle d'un ton de commandement.

Spica la regarda, stupéfaite.

– Et… que dois-je dire… ?

– N'importe quoi, coupa Altière à voix basse. Allez ! Tu as toujours quelque chose à dire, non ?

Spica se raidit, vexée.

– J'ai été éduquée ainsi et je ne vois pas pourquoi j'en aurais honte. Nous, les Elfes Étoilés, aimons bavarder, il n'y a pas de mal à ça…

D'un signe, Altière montra Ailedargent. Le petit fixait intensément Spica et, quand elle cessa de parler, il se remit à grignoter ses pierres.

– Chaque fois qu'il t'entend, il se retourne pour t'écouter, murmura Altière.

– Oh, qu'est-ce que cela signifie ?

– Nous parlons depuis des heures, et il ne nous accorde pas la moindre atten-tion, intervint un autre Elfe.

– Mais il se comporte différemment avec Spica et moi, précisa Altière, cette fois à voix haute.

Immédiatement Ailedargent se tourna vers l'Elfe Conseillère et la fixa, intrigué.

– Mais pourquoi ? s'étonna Spica.

Le regard du Dragonnet se posa à nouveau sur la jeune Elfe. Il émit une légère bouffée jaunâtre et lança une petite foudre qui se brisa sur la pierre la plus proche, ce qui fit sursauter tout le monde.

– Certaines personnes ont des voix… particulières, expliqua Altière. Des voix qui s'adressent plus au cœur qu'aux oreilles.

– Les conteurs, acquiesça Spica.

Altière fronça les sourcils.

– On les nomme peut-être ainsi dans ton royaume. Ici, nous les appelons des Dresseurs. Je ne m'en étais pas encore rendu compte, mais il semble que tu aies un don, jeune Elfe, articula-t-elle lentement, comme si elle pesait chacun de ses mots.

Spica la fixa sans comprendre.

– Si tu décides de demeurer sur l'île des Chevaliers, passe me voir. Le don que tu as reçu pourrait profiter à tous, conclut Altière.

Elle posa son assiette vide près du feu et s'éloigna.

Véridique eut un petit rire joyeux :

– Bien, très bien ! Altière envisage enfin l'avenir et plus seulement le passé !

– Que voulait-elle dire ? En quoi pense-t-elle que je puisse me rendre utile ?

– Quelle question ! C'est évident, jeune Étoilée ! Altière vient de trouver une nouvelle apprentie Dresseuse !

Le cœur bouleversé, Spica fit un pas en arrière, regarda de nouveau le bébé Dragon et, plus rayonnante que jamais, se mit à courir vers Ombrage au risque de renverser les assiettes pleines.

Le jeune Elfe se trouvait sur le bord du cratère. Comme avant chaque décollage, il vérifiait le harnachement et la selle de Queue-Tranchée. Spica le rejoignit. Elle était essoufflée et ses yeux brillaient.

– As-tu faim ? demanda-t-elle en lui tendant joyeusement les plats.

Ombrage prit le petit plateau de branches tressées, et s'assit sur une pierre. Il s'aperçut alors qu'il était vraiment affamé.

Spica s'installa en face du jeune Elfe.

– Je sais que tu es intervenue pour aider Capenoire et les autres, lui dit Ombrage en souriant.

– Je n'ai pas fait grand-chose. Tout le mérite revient à Queue-Tranchée. Sa foudre a été extraordinairement puissante, raconta-t-elle en mordant un navet grillé.

Ombrage jeta un coup d'œil au-delà du cratère.

– Es-tu préoccupé ? s'enquit-elle.

Il haussa les épaules.

– Ne me demande pas pourquoi. Je ne le sais pas. L'île des Chevaliers ne nous a pas encore tout révélé, et j'ai le sentiment qu'il ne sera pas facile de mener à bien notre mission.

Il fut interrompu par un cri d'alarme venant d'un des pics. Une sentinelle dévala la pente en hurlant, et rejoignit Altière et Capenoire. Ce dernier saisit la longue-vue. Quelques instants plus tard le garde repartit en hâte, avec de nouvelles directives.

Capenoire croisa le regard d'Ombrage et le rejoignit.

– Que se passe-t-il ? demanda le jeune chevalier.

– Il y a quelque chose dans les eaux, autour de l'île des Chevaliers, répondit l'Elfe Noir.

– Des serpents ? s'exclama Spica. Sont-ils revenus ?

Queue-Tranchée rugit et tendit le cou vers la mer.

Le regard de Capenoire s'assombrit.

– Peut-être. Nos longues-vues n'ont pas permis aux gardes de bien distinguer. Si ce sont des serpents, il semble qu'ils ne s'éloignent pas de l'île, ajouta-t-il en jetant un regard vers le Dragon.

– Je peux y faire un vol de reconnaissance, proposa Ombrage.

Spica secoua la tête.

– Cela n'a pas de sens. Pourquoi resteraient-ils là-bas ?

– Pour vous attaquer dès votre arrivée, intervint Altière en s'approchant.

– Nous connaissons l'île ; Queue-Tranchée pourra nous déposer tout près de la Salle des Chevaliers, répliqua Spica. En vol, les serpents ne seront sûrement pas un problème !

– Pas tant que vous serez en l'air, convint Altière.

– Par contre ils le seront pour ceux que nous libérerons du sommeil de pierre. Quand ils se réveilleront, ils se retrouveront encerclés par des serpents affamés, sans aucune possibilité de fuite, murmura Ombrage.

– Exact. C'est pour cette raison que nous devons vous accompagner, compléta Altière.

– Queue-Tranchée ne pourra jamais transporter autant de voyageurs ! objecta Spica. Et de toute façon, que pourriez-vous faire contre les serpents ?

– Ce que nous avons fait au village avant ton intervention : les tuer. Nous avons des pics fulminants. Ce n'est pas la première fois que nous affrontons ces ignobles créatures.

– Croyez-moi, intervint Ombrage, je ne demanderais pas mieux que d'accepter votre aide, mais Spica a raison : Queue-Tranchée ne pourra pas transporter tout le monde, et nous ne pourrons pas faire plus d'un voyage. Il faudra une demi-journée pour atteindre l'île, et si nous partons maintenant, nous arriverons au coucher du soleil. Ensuite ce sera la nuit et…

– Nous possédons des barques rapides, l'interrompit Altière. Queue-Tranchée pourrait-il en traîner trois en volant au ras de l'eau ?

Ombrage se tourna vers le Dragon.

– Penses-tu pouvoir le faire ?

Queue-Tranchée déploya ses ailes avec un rugissement d'approbation, impatient de partir.

Le jeune Elfe laissa échapper un sourire.

– Apparemment, il est d'accord. Quand serez-vous prêts ?

– Très bientôt, j'ai déjà donné l'ordre de tout organiser. Maintenant il vaut mieux que j'aille vérifier comment avancent les préparatifs, ajouta-t-il en s'éloignant.

– Et si les serpents attaquaient l'île de la Lune Montante pendant que vous serez sur celle des Chevaliers ? s'inquiéta Spica.

– Laissons ici une garnison de Capes Noires pour protéger les habitants, Ailedargent et les douze œufs de Dragon, suggéra Ombrage. Capenoire et Altière seront plus utiles sur l'île des Chevaliers.

Altière acquiesça.

– Excellente idée, jeune Elfe. C'est exactement ainsi que doit procéder un Général Suprême des Chevaliers : rassembler les forces dont il a besoin, savoir les organiser, écouter les bons conseils et combattre pour sauver les innocents, en conduisant lui-même la bataille.

Ses paroles fendirent l'air comme une épée et Ombrage plissa le front, confus.

– Altière, je ne suis pas général.

– Tu le seras bientôt, conclut-elle d'un ton sans réplique.

Puis elle scruta le ciel.

– Terminez votre repas. Quand le soleil brillera au-dessus de la Pierre du Milieu, dit-elle en indiquant un rocher à pic au-dessus d'eux, rejoignez-nous sur la côte ouest de l'île.

Elle se retourna et disparut parmi les gardes.

Ombrage les regarda s'en aller.

– Nous réussirons, dit Spica.

– Oui, nous réussirons, répéta-t-il.

Sur le visage du jeune Elfe, Spica surprit une expression qu'elle n'avait encore jamais vue. C'était comme s'il avait soudain la conviction qu'il vaincrait. Comme s'il savait que, désormais, rien ne l'empêcherait de tenir la promesse qu'il s'était faite à lui-même.

Tandis que le soleil poursuivait sa course inexorable et commençait à réchauffer l'atmosphère, Spica se demanda si elle avait la même certitude que lui.

QUATRIÈME PARTIE

· ❧ ·

LA ROSE D'ARGENT

21

Au-dessus des eaux

uand le soleil atteignit la Pierre du Milieu, la joyeuse agitation qui animait le cratère quelques heures plus tôt avait disparu.

Ombrage et Spica, après avoir reçu les instructions pour le départ, étaient demeurés assis en silence. Lui pensait au voyage, à l'île des Chevaliers et aux détails de sa mission. Elle réfléchissait à ce qu'elle ferait de sa vie une fois l'aventure terminée. Les mots d'Altière, à propos de son avenir de Dresseuse de Dragons, tourbillonnaient dans sa tête.

Brusquement, Ombrage se leva. Spica comprit qu'il était temps de partir.

– Es-tu prête ?

La jeune Elfe acquiesça. La perspective de devoir affronter des milliers de serpents marins ne l'enchantait pas, mais elle n'en laissa rien paraître. Elle vérifia soigneusement son arc, saisit la main que lui tendait

Ombrage, sauta en selle et ferma les crochets de sécurité.

Véridique leva la main en signe de salut.

– Bonne chance !

– Bonne chance à vous ! répondit Spica, le cœur serré.

Pourquoi ce départ la rendait-elle si nostalgique ? Elle connaissait à peine cet endroit et ses habitants. Se pouvait-il qu'elle se soit attachée à cette terre en si peu de temps ? Ou bien était-ce tout simplement le futur qu'elle appréhendait ?

– Pouvons-nous décoller ? demanda Ombrage.

– Je suis prête, répondit-elle.

L'Elfe posa deux fois sa main sur le cou de Queue-Tranchée. Et comme toujours le Dragon comprit sans qu'il soit besoin de paroles. Il ouvrit les ailes et, d'un bond, s'éleva en l'air pour attendre que les navires des Elfes Noirs soient prêts à être remorqués.

Spica réalisa que sa vie future commençait à cet instant précis. Un frisson lui parcourut l'échine. Comme le disait son père, l'avenir se construit jour après jour.

Pour elle, le moment était venu de faire un pas important.

Brusquement le Dragon tourna la tête vers Ombrage en poussant un cri rauque d'avertissement.

Le cavalier acquiesça.

– Oui, je les vois ! dit-il.

– Quoi ? Où ? interrogea Spica.

D'un coup d'ailes, Queue-Tranchée prit de l'altitude. Le jeune Elfe tendit le bras vers l'île des Chevaliers. De loin, elle ressemblait à un petit rocher au milieu de l'étendue plate d'une mer couleur saphir. Mais une sorte d'anneau gris tournoyait autour d'elle sous la surface de l'eau.

– Des serpents d'argent ! Combien sont-ils ? tressaillit Spica, horrifiée.

– Trop nombreux pour nous trois. Surtout si l'île s'est encore enfoncée depuis que nous en sommes partis.

Spica essaya de se reprendre : elle devait mettre de côté ses soucis et ses espérances d'avenir, pour ne plus penser qu'au présent.

Ombrage regarda le visage de son amie : l'expression concentrée et fière de la jeune Elfe la rendait encore plus belle.

– Tiens-toi bien ! lui conseilla-t-il.

Puis il enjoignit à Queue-Tranchée de descendre pour tirer les navires.

Le Dragon poussa un cri aigu et, d'un mouvement agile, piqua vers le bas. L'île de la Lune Montante approchait à grande vitesse. Deux navires longs et élancés, à la proue en forme de tête de Dragon, attendaient déjà sur le flanc occidental de l'île. Un troisième qui était demeuré jusque-là caché parmi les rochers s'éloigna de la côte pour rejoindre les deux premiers. Les voiles avaient été retirées, car elles auraient freiné les embarcations que le Dragon devait tirer.

Queue-Tranchée rugit et, de la terre ferme, des petits bras s'agitèrent pour lui rendre son salut. Des cordes argentées furent lancées et tendues entre les trois vaisseaux par les Capes Noires qui se trouvaient à bord.

Ombrage ordonna à Queue-Tranchée de ralentir, et le Dragon obéit, décrivant un cercle au-dessus des embarcations.

Le jeune Elfe parvint à distinguer Capenoire qui, debout sur la proue du premier navire, lui faisait des signaux. On apporta à l'Elfe Noir une longue branche de bois, à laquelle était attachée une corde argentée arrimée par son autre extrémité à la pointe du vaisseau. Après avoir jeté un rapide coup d'œil vers le ciel, l'Elfe lança le morceau de bois et le câble, le plus loin qu'il put.

Ombrage fit un signe à Queue-Tranchée et le Dragon plongea en piqué. Il effleura l'eau scintillante et ses griffes saisirent la branche. Puis, d'un coup d'ailes, il s'éleva à nouveau, léger et gracieux.

Mais Ombrage réalisa immédiatement qu'il volait trop vite.

– Ralentis, nous risquons de les renverser ! s'écria-t-il, inquiet.

Queue-Tranchée émit un petit rugissement et diminua sa vitesse, tout en se retournant pour observer les embarcations.

Ombrage vit les trois navires bondir en avant sur la surface de l'eau, et de nombreux Elfes furent projetés vers l'arrière à cause de la soudaineté du mouvement. Les coques tanguèrent sous la violence du choc initial.

Queue-Tranchée diminua encore sa vitesse, jusqu'à ce que Capenoire fasse signe à nouveau.

Spica poussa un soupir de soulagement et commenta :

– Ça va mieux !

Les navires avaient retrouvé une certaine stabilité.

À présent Queue-Tranchée pouvait accélérer.

– Bravo ! Continue comme ça ! l'encouragea Ombrage.

Le Dragon poussa un rugissement amusé. Pour lui, c'était un jeu !

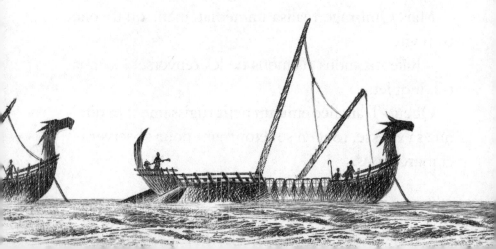

– Penses-tu que nous arriverons avant la tombée de la nuit ? s'inquiéta Spica.

– Oui. Peut-être même avant le coucher du soleil. Les navires supportent bien l'allure de Queue-Tranchée. Nous serons là-bas avant ce soir.

Puis il plissa le front et regarda droit devant lui, vers l'île des Chevaliers.

Le soleil monta jusqu'au zénith, puis, en cet après-midi qui s'annonçait torride, amorça la lente descente de son périple quotidien dans le ciel.

Ombrage se retourna vers Spica :

– Il reste quelques heures de vol. Es-tu fatiguée ?

Sans s'en apercevoir, Spica avait appuyé sa tête contre le dos d'Ombrage. Elle la releva et la secoua.

– Non… enfin oui, mais peu importe. Toi aussi tu dois être harassé. Et ta cheville ?

– Elle va mieux, les soins d'Altière ont été efficaces.

– Pourrais-tu me dire comment étaient les épreuves ?

Elle sentit Ombrage se raidir.

– Éprouvantes… répondit-il, après un moment de silence.

Spica baissa les yeux, contemplant les navires scintillants qui semblaient voler au-dessus de la mer azur. Elle essaya de repérer Altière, mais n'y parvint pas.

– Tu sais, peut-être qu'un jour je devrai affronter les épreuves, murmura-t-elle dans un souffle.

– Quoi ?! sursauta Ombrage.

Spica eut un petit rire embarrassé.

– Altière m'a dit que j'avais une voix de Dresseuse de Dragons, et que je pourrais me rendre utile sur l'île des Chevaliers. Elle m'a proposé de m'initier, une fois que tout serait fini. Ainsi, moi aussi je deviendrai chevalier. Qu'en penses-tu ?

Ombrage se retourna : dans ses yeux, Spica lut de la crainte, de la fierté, et quelque chose qui ressemblait à de la compréhension. Un sourire indéchiffrable passa sur les lèvres du jeune Elfe.

– Toi, qu'en penses-tu ? lui demanda-t-il en retour.

– Je n'en sais trop rien. Cela me plairait beaucoup. Mais quelque chose m'effraye.

Ombrage hocha la tête.

– Altière ?

Spica éclata d'un rire nerveux.

– Oui, ça se voit tant que ça ? Je n'arrive pas à saisir ce qu'elle pense, et cela me met mal à l'aise.

– Bah, elle est ainsi faite : sévère et parfois cassante, mais aussi très compétente. Elle sait ce qu'elle fait.

– Lui ferais-tu confiance ? Malgré ce qu'elle t'a dit avant les épreuves ?

– Oui. Et maintenant encore plus, car j'ai compris pourquoi elle s'était comportée de cette manière. Et c'est aussi la raison pour laquelle Floridiana ne pouvait pas intervenir.

– Quel besoin y avait-il d'être aussi dur ? balbutia-t-elle.

Spica entendit le rire d'Ombrage.

– Moi, j'en avais besoin, conclut-il.

La jeune Elfe soupira.

– Eh bien, tu es devenu encore plus mystérieux

qu'avant. Tu ne me diras jamais en quoi consistent les Trois Épreuves, n'est-ce pas ?

– Je ne le peux pas. Aucun chevalier n'en a jamais parlé à quelqu'un qui ne les a pas encore affrontées. Si ça peut te rassurer, je crois que tu seras parfaitement capable de les surmonter. Et sans doute mieux que moi. En admettant que tu veuilles vraiment devenir Dresseuse.

Spica fut rassérénée par ces mots. Ombrage avait confiance en elle. Elle repensa au petit Ailedargent et sourit. Assister à la naissance de ce Dragon bleu lui avait ouvert les yeux, en lui indiquant sa route.

Ainsi, elle pourrait utiliser au mieux sa voix de conteuse et son amour de l'enseignement. Et surtout, elle servirait les Chevaliers de la Rose, les Fées, et tout le royaume de la Fantaisie.

Oui, plus elle y pensait, plus il lui semblait que c'était le chemin qu'elle devait suivre, quelles que soient les difficultés qui l'attendaient. Même si elle devait affronter la sévérité d'Altière et les épreuves des chevaliers.

22

LE MONSTRE
DES PROFONDEURS

L e soleil commençait à plonger dans la mer flamboyante du couchant, quand Ombrage et Spica réalisèrent que l'île était désormais toute proche. Queue-Tranchée vira en direction du vieux port afin que les navires puissent accoster, et ils constatèrent que la jetée était presque totalement submergée. Non loin de la rive, la mer grouillait de serpents d'argent. Toutefois, ces créatures ne pouvaient pas attaquer les navires, qui avançaient si vite qu'ils semblaient voler au-dessus des eaux. Et si l'un des serpents s'avisait de sauter à bord, il suffirait d'un rapide coup d'épée pour le décapiter.

Pourtant, Capenoire était inquiet. Plus ils approchaient et plus les serpents étaient innombrables. L'Elfe Noir leva lentement sa longue-vue et observa l'île. Le vieux phare était recouvert de plantes grimpantes. À côté de la Citadelle, s'étendait la tache foncée de la forêt redevenue verte et joyeuse. Ombrage et Spica

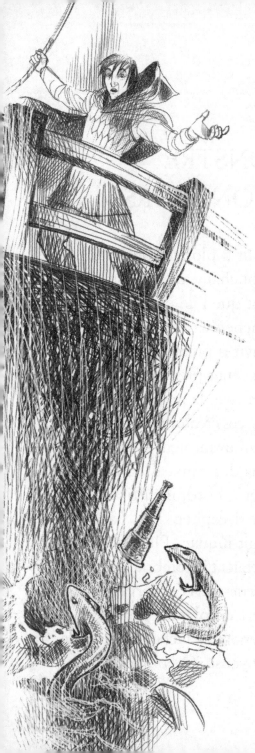

avaient dit vrai : ils avaient ramené la vie sur l'île, du moins en partie. Peut-être y avait-il vraiment un espoir, pensa Capenoire.

Puis il orienta sa longue-vue vers les ruines du port, et tressaillit. La mer était blanche d'écume, agitée par des centaines de formes argentées qui glissaient au ras de l'eau.

Dans la deuxième embarcation, une voix retentit.

– Attention devant ! cria Altière.

Il y eut une secousse et les navires ralentirent. Capenoire perdit l'équilibre. La longue-vue lui échappa des mains et tomba dans l'eau, aussitôt entourée par les serpents. Agrippé à une écoute, l'Elfe regarda par-dessus bord et vit une ombre qui tournoyait en créant d'énormes remous.

– Accrochez-vous ! tonna-t-il de toute sa voix.

Il parvint à se cramponner juste à temps au câble de sécurité, avant qu'une vague violente ne frappe rageusement le flanc de l'embarcation.

Le navire pencha dangereusement de côté, mais, heureusement, ne se retourna pas.

Capenoire se releva et hurla :

– Tous à vos postes de combat !

La mer était hérissée de dents pointues, mais une menace bien plus grande que les serpents allait s'abattre sur eux.

Capenoire n'eut pas le temps de réagir. Quelque chose bondit hors de l'eau, se cabra, et replongea en passant à quelques centimètres des embarcations.

La vague fut terrible : tous furent précipités de côté et le navire grinça.

Ombrage sentit un nœud dans sa gorge. Vu d'en haut, l'assaut des serpents marins était encore plus impressionnant.

Ils étaient partout.

– Oh, non ! Et ça, qu'est-ce que c'est ? gémit Spica en montrant un point sur leur droite derrière les embarcations qu'ils remorquaient.

Une longue bande blanche scintilla un instant à la surface de l'eau, laissant poindre une crête hérissée de pics, puis s'enfonça.

– Queue-Tranchée ! Plus vite ! ordonna Ombrage en serrant ses genoux sur la selle.

Le mouvement du Dragon et l'augmentation de sa vitesse firent dévier de quelques degrés la route des navires, ce qui leur évita d'être retournés par la force de la vague qui les frappa. Ce fut alors qu'ils le virent.

Un énorme monstre aquatique, blanc comme la neige, au corps de serpent et à tête de Dragon, jaillit hors de l'eau, puis replongea, roulant brusquement sur lui-même.

– Il veut renverser les navires ! cria Spica en saisissant son arc.

Une autre vague s'abattit sur le flanc des vaisseaux. Un des Elfes perdit pied et tomba à l'eau.

– Non ! hurlèrent ensemble Ombrage et Spica.

La jeune Étoilée décocha plusieurs flèches. Les serpents, qui s'étaient rués comme des fourmis voraces autour du malheureux Elfe, coulèrent. Mais d'autres prirent leur place et entraînèrent l'infortuné vers le fond.

— Ce n'est pas possible ! Ils vont tous mourir ! gémit la jeune Elfe, bouleversée.

— Pas si nous nous dépêchons ! rectifia Ombrage en frappant de sa main le cou de Queue-Tranchée.

— Es-tu prêt à combattre ?

Le Dragon émit un rugis-  sement terrible et souffla en direction de la créature qui avait de nouveau disparu sous les vagues.

— Nous sommes tout près du port ! cria Spica. Nous devons lâcher la corde, mais si nous cessons de les tirer, les embarcations seront attaquées par les serpents !

– Nous ne pourrons pas grand-chose pour eux, une fois qu'ils toucheront terre. Fais confiance à Capenoire. Il sait ce qu'il doit faire ! lui répondit-il.

C'était une décision difficile, mais il n'avait pas le temps de douter.

– Tu lâcheras le câble quand je te le dirai, c'est bien compris Queue-Tranchée ?

Le Dragon rugit, impatient d'en découdre avec le monstre blanc. Spica s'agrippa fortement aux crochets de sécurité, et Ombrage regarda vers le bas.

– Maintenant ! cria-t-il.

La corde d'argent tomba, et fut engloutie par les flots. Les navires continuèrent à avancer sur leur élan.

Ombrage serra ses genoux sur le cou de Queue-Tranchée, et le Dragon descendit vers le port, rapide comme l'éclair, en foudroyant les serpents marins.

Puis il tourna légèrement sur lui-même et se dirigea vers la mer, juste à temps pour voir le troisième vaisseau qui s'inclinait dangereusement. Trois, quatre tuniques noires tombèrent... On repêcha un Elfe, mais les autres disparurent dans les flots.

Queue-Tranchée gronda rageusement. Cette fois, Ombrage n'essaya pas de le calmer. Lui-même ressentait une immense colère : les Sorcières, bien qu'éloignées, réclamaient encore le sacrifice du sang.

Le Dragon survola la mer, lançant des rugissements menaçants pour appeler son ennemi au combat et, comme pour répondre à son cri de guerre, une gerbe d'eau jaillit derrière le troisième vaisseau.

Un instant plus tard le serpent blanc surgit hors de l'eau et s'élança sur les navires.

Il était gigantesque, avec un museau pointu comme une flèche, de larges mâchoires et uniquement deux longs crocs, contrairement aux myriades de dents des serpents d'argent.

Queue-Tranchée fit un rapide mouvement de côté et enfonça sa crête d'épines dans le cou du monstre. Celui-ci souffla violemment, mis en furie.

Après avoir évité une morsure à la patte, Queue-Tranchée rugit à nouveau, souleva brusquement la tête et projeta le serpent géant à une centaine de mètres plus loin. Le corps du monstre disparut dans les profondeurs obscures de la mer.

– Allez, aux rames ! hurla Altière en tranchant net la corde qui reliait son navire à celui de Capenoire.

Elle courut ensuite à la poupe et rompit le lien avec le troisième vaisseau.

– Que ceux qui ne rament pas se préparent à débarquer. Queue-Tranchée nous a ouvert la voie, mais ce ne sera pas facile ! Vite, vite ! Dès que vous serez à terre, essayez d'atteindre une position en hauteur !

Queue-Tranchée passa de nouveau au-dessus d'eux, en rase-mottes, éliminant de ses foudres les autres serpents.

Altière observa l'île des Chevaliers et frissonna : on aurait dit un squelette de granit posé sur les eaux. Seule la forêt, où elle avait passé tant de journées dans sa jeunesse, avait reverdi. Plus que quelques mètres et elle poserait à nouveau le pied sur cette terre. Les souvenirs du jour de la chute de l'île, des cris et de l'horreur, l'assaillirent, mais elle les chassa. Il y avait tant à faire, tant de vies à sauver.

Plus décidée que jamais, Altière s'agrippa à la corde de sécurité.

– Lâchez les rames, tous à terre ! tonna-t-elle.

L'équipage obéit : ils se levèrent et sautèrent à bas du navire. Altière s'élança en avant. L'épée au poing, elle conduisit son escouade vers le village dont elle reconnaissait chaque maison, là où les visages terrorisés des habitants pétrifiés attendaient depuis tant d'années leur libération.

Mais, au moment précis où ils s'éveilleraient, un instant avant de revenir à la vie et d'être à nouveau capables de repousser l'attaque, les habitants de l'île feraient face au plus grand danger, à la menace des serpents affamés. D'une certaine manière, durant toutes ces années, la pierre les avait protégés...

23
VERS LA SALLE DES CHEVALIERS

mbrage vit les longues embarcations se vider, et les Elfes Noirs filer sur la terre ferme. Il conduisit Queue-Tranchée au-dessus du village de pêcheurs, au pied de la Citadelle, et lui ordonna d'éliminer les serpents de la route, afin de faciliter l'avancée de ses compagnons.

– Ils arrivent ! cria Spica en tirant Ombrage par la manche.

Celui-ci se retourna et aperçut Capenoire qui courait le long de la route principale menant au village. Il porta deux doigts à ses lèvres et siffla ; Capenoire leva les yeux et lui répondit de la même manière.

– Nous y sommes ! À la Citadelle ! lança Ombrage.

– Regarde, il y a d'autres serpents là-bas ! cria Spica.

Elle se mit debout sur ses étriers pour décocher une flèche, mais, deux battements d'ailes plus tard, ils étaient trop loin pour qu'elle puisse en tirer une deuxième.

– Faisons demi-tour, ils ne s'en sortiront jamais ! implora-t-elle en s'agrippant à l'épaule d'Ombrage.

– C'est impossible ! Capenoire et ses soldats sont venus précisément pour que nous puissions atteindre le Bouclier, sans nous occuper des habitants pétrifiés et des serpents ! Ils savent ce qu'ils ont à faire ! Nous reviendrons les aider ensuite ! répliqua Ombrage.

Derrière eux, ils aperçurent les Capes Noires qui prenaient position sur la place du village, autour d'un groupe d'Elfes pétrifiés, et qui s'apprêtaient à affronter les serpents.

– Mais… tenta Spica.

– Il n'y a pas de mais ! Si nous tardons encore, l'île des Chevaliers sera totalement submergée, et tous nos efforts et ceux des Elfes noirs auront été vains !

À ce moment, un choc violent fit trembler l'île. Les murs de plusieurs maisons vacillèrent et s'écroulèrent.

Queue-Tranchée passa au-dessus des murailles de la Citadelle des Chevaliers, et, en quelques coups d'ailes, atteignit la plateforme sur laquelle il avait déjà déposé les jeunes Elfes.

Les escaliers étroits, sans garde-fous, qui mon-

taient jusque-là, étaient jon-
chés de débris de bois et de
pierres, témoins des multiples
soubresauts qui continuaient à
secouer l'île.

Plus bas, dans l'ombre des
salles d'entraînement, Ombrage
vit se glisser plusieurs serpents
d'argent.

D'un geste vif, le jeune Elfe
dégaina Poison et enjoignit à Spica
de préparer son arc. Ensemble,
ils coururent sur le chemin qui
conduisait à la Salle des Chevaliers,
en prenant garde aux piliers et aux
colonnes qui risquaient de les ensevelir
en s'écroulant. Devant chaque amas de
gravats, chaque ouverture, ils demeuraient
aux aguets, craignant une menace cachée.

Soudain Ombrage reconnut le rugissement
d'alerte de Queue-Tranchée. Il s'arrêta et entraîna
Spica derrière une colonne brisée, tombée à terre.

La foudre de Queue-Tranchée tonna devant eux,
anéantissant d'autres serpents.

Mais juste à ce moment, alors que les deux Elfes se relevaient et reprenaient leur course, quelque chose fit violemment frémir la Citadelle. L'enceinte imposante, qui faisait face à la mer, s'inclina. Plusieurs tours s'effondrèrent, et disparurent dans les abysses marins, comme un château de cartes. Les jeunes Elfes furent frappés par une pluie de débris de pierres. Des décombres s'éleva un nuage gris et dense qui s'avança vers eux, telle une main vorace. Un instant avant qu'ils ne soient enveloppés par cette poussière, Ombrage comprit ce qui avait provoqué l'écroulement : le monstre marin frappait de toute sa puissance colossale les fondements de l'île.

– Queue-Tranchée ! Éloigne-le ! cria-t-il de tout son souffle, avant que sa bouche ne se remplisse de poudre grise.

La voix se brisa, mais le Dragon avait saisi. Dans son esprit, prenaient forme les mêmes pensées que celles de son cavalier. L'étoile scintilla au front d'Ombrage, et Queue-Tranchée se prépara à affronter le monstre marin. Tous les deux le savaient : cet ennemi était son affaire.

Le gigantesque serpent blanc se dressait sur la surface de la mer, comme un guerrier satisfait du désastre qu'il avait provoqué. Ses grands yeux exorbités se portèrent sur Queue-Tranchée et le défièrent. Puis il se mit en mouvement pour frapper à nouveau.

Le Dragon comprit qu'il fallait agir immédiatement, sinon tout serait perdu. La Salle des Chevaliers était proche de la zone qui venait de s'écrouler : elle ne tiendrait pas longtemps. Il émit un rugissement sourd, déploya les ailes et s'élança, prêt au combat, décidé à sauver ses amis.

Capenoire s'arrêta. La lance au poing, il fixait la route qui s'ouvrait devant eux.

– Allez, préparez vos pics fulminants ! En avant, en avant ! cria-t-il aux Elfes qui le suivaient, tout en cherchant du regard des positions en hauteur pour y disposer ses soldats.

Un bruit sourd le fit se retourner : à quelque distance, un serpent glissa entre les pierres et se rua sur lui, mais Capenoire fit virevolter son épée et enfonça la pointe dans la gueule ouverte de la créature.

Puis il jeta un coup d'œil vers la ruelle étroite par laquelle le serpent était arrivé. Des dizaines de petits yeux argentés scintillaient dans l'ombre.

– Tirez un pic fulminant ! ordonna-t-il.

Presque aussitôt, un jeune archer décocha une flèche qui partit se planter à l'entrée de la ruelle. Les deux pierres attachées à la tige de bois claquèrent dès qu'elles touchèrent terre, libérant des décharges de foudre qui dessinèrent une sorte de filet protecteur.

Capenoire regretta amèrement d'avoir dû utiliser un des pics fulminants. Il en avait très peu. Il aurait voulu les conserver pour protéger les Elfes pétrifiés. Mais il n'avait pas eu le choix.

Altière patrouilla avec un groupe de Capes Noires sur la côte, pendant que les soldats des deux autres navires débarquaient. Puis, alors que l'eau recommençait à grouiller de serpents, elle quitta le port derrière sa petite troupe qui avançait à grandes enjambées.

Elle se souvenait parfaitement des premiers Elfes pétrifiés : ils se trouvaient sur la place principale du village.

Quand elle entendit le coup de sifflet d'Ombrage, elle accéléra le pas.

Après ce premier combat contre les serpents, Capenoire, lui aussi, se hâta. Il n'était jamais venu sur l'île des Chevaliers. Il savait qu'elle avait été détruite et que ses habitants avaient été transformés en pierre. Il avait toujours été persuadé que son frère avait péri le jour de la catastrophe, mais Ombrage lui avait révélé qu'il n'en avait pas été ainsi. Cœurtenace avait continué à lutter, ailleurs, sur l'ordre de la Reine des Fées.

D'abord, cette nouvelle l'avait rendu à la fois heureux et furieux. Cœurtenace n'était pas passé sur l'île de la Lune Montante pour rassurer sa famille. Il s'en était allé. Mais, après y avoir réfléchi, il comprit que son frère n'avait pas eu le choix. Cela avait été certainement très douloureux pour lui de ne pas revenir dans son foyer. Le nom qu'il avait choisi pour son fils prouvait à quel point les siens lui manquaient : il l'avait appelé Audace, comme lui, son frère cadet.

Tout en courant parmi les décombres, Capenoire réalisa l'ampleur de la tragédie qui avait frappé l'île des Chevaliers. Aux massacres commis par les Sorcières s'étaient ajoutées les destructions du temps, offrant ainsi une vision effroyable.

À son arrivée sur la place centrale, il sentit sa gorge se serrer. Pendant quelques instants, il ne put articuler un mot : partout se dressaient les silhouettes des habitants et des chevaliers, immobiles dans une terreur muette. Derrière lui, les soldats s'arrêtèrent et gémirent d'horreur en voyant les serpents argentés enroulés autour des pieds des statues, prêts à dévorer ces gens dès qu'ils reviendraient à la vie.

Capenoire donna rapidement ses instructions :

– Que les tireurs se préparent. Vous connaissez votre mission : un pic après l'autre, à distance régulière, de manière à entourer les

Elfes pétrifiés ! Ensuite, quatre d'entre vous demeureront sur place, tandis que le gros de la troupe marchera sur la Citadelle.

Les serpents se détachèrent des statues de pierre, et rampèrent vers l'Elfe Noir et les siens. Les archers prirent position en hauteur, sur les murs à demi écroulés, et se mirent à tirer : les pierres fulminantes attachées aux pics illuminèrent la place enveloppée dans l'obscurité du soir. Les filets de foudre créés par les pics empêcheraient les serpents d'attaquer ces gens, quand ils se réveilleraient de leur sommeil de pierre.

Capenoire entra en action : il tranchait les têtes comme s'il fauchait des épis de blé. Les autres l'imitèrent.

Soudain, la terre trembla. L'espace d'un instant, l'île sembla être un navire sur le point de couler. Une explosion assourdissante retentit en haut, du côté de la Citadelle. Puis plus rien.

Seuls se faisaient entendre les hurlements de la bataille, et les cris suraigus des serpents.

La nuit serait longue.

Enveloppés par le nuage poudreux soulevé par l'effondrement, Spica et Ombrage mirent leurs mains devant leurs bouches et se remirent à courir.

Les étoiles brillaient au front des deux jeunes Elfes, illuminant les murs et les colonnes. La poussière des éboulis leur brûlait les poumons et les yeux. Heureusement, elle se dissipa rapidement dès qu'ils eurent dépassé la vieille bibliothèque. Désormais, ils étaient proches du but. Ombrage regardait droit devant lui, plus décidé que jamais à mener à bien sa mission.

Le jeune Elfe entendit le rugissement de Queue-Tranchée et soupira. Il aurait tant voulu être auprès de lui, mais c'était impossible.

À ce moment il sentit le tremblement de Poison, et s'arrêta. Il montra à Spica le scintillement argenté des serpents devant eux.

Spica tendit son arc, décocha une flèche, puis une autre. Les serpents se ruaient sur eux. En un instant, une dizaine de ces créatures visqueuses bloquèrent le couloir. Elles étaient trop nombreuses pour qu'ils puissent les affronter. Ombrage saisit Spica par le bras et l'entraîna le long d'un autre couloir, en espérant pouvoir contourner la menace. Mais d'autres reptiles les encerclèrent.

Ombrage s'élança et frappa à plusieurs reprises. Un, deux, trois serpents tombèrent à ses pieds, tandis que d'autres prenaient leur place.

– Nous n'y arriverons jamais ! laissa échapper Spica, en s'efforçant de tirer du plus vite qu'elle pouvait.

Ombrage jeta un coup d'œil circulaire et lui montra un escalier montant vers un étage disparu dans l'écroulement.

– Grimpe là-dessus. Allez ! ordonna-t-il.

Elle obéit immédiatement : de cette position elle aurait une bien meilleure vision pour faire mouche. Elle bondit sur les premières marches.

Mais à ce moment, un autre choc d'une violence inouïe frappa les murailles de la forteresse, faisant trembler ses fondements.

L'escalier frémit, et plusieurs pierres s'effritèrent sous les pieds de la jeune Elfe. Elle glissa.

Spica cria, s'agrippa aux fissures du mur et demeura suspendue au-dessus de la multitude des serpents.

Ombrage hurla, mais sa voix fut submergée par le tonnerre de l'effondrement. Une pluie de pierres s'abattit dans le corridor, sur lui et sur les serpents. L'Elfe tenta de s'éloigner, mais un des reptiles s'était enroulé autour de sa botte, juste avant d'être écrasé par la chute d'une colonne.

Un grand fracas, mêlé au rugissement de Queue-Tranchée, vibra, tandis qu'un autre mur s'affaissait.

Spica cria encore. Ombrage reçut un coup violent, puis ce fut l'obscurité.

24
CIEL ET MER

ueue-Tranchée planait au-dessus de la mer, à la recherche du monstre marin. Cette créature des abysses voulait tout détruire, et le Dragon ne pouvait le permettre. Ombrage avait risqué sa vie pour sauver cette île, et maintenant l'Elfe avait besoin de son aide. Lui seul pouvait vaincre cet ennemi, trop puissant, trop sauvage pour n'importe qui d'autre. Quand il était prisonnier des Ogres, Queue-Tranchée avait abattu de nombreux Dragons, mais il n'avait jamais affronté une telle créature.

Soudain, le Dragon aperçut les spires blanches du serpent qui brillaient sous la surface de l'eau. En battant des ailes, Queue-Tranchée s'arrêta juste au-dessus de la tête de son ennemi et l'étudia. Il cherchait le moyen de le saisir avec ses griffes. La grosse tête se tourna vers lui, comme intriguée. Les yeux exorbités et glauques le fixaient.

Queue-Tranchée rugit et lança une de ses foudres.

Le monstre plongea, et, d'un coup de queue, il souleva une gerbe d'eau, avant de disparaître sans être même effleuré par l'attaque du Dragon. Les quelques serpents d'argent qui nageaient encore aux alentours furent brûlés, et leurs corps sans vie remontèrent à la surface.

Le Dragon prit de l'altitude pour tenter de comprendre où était passé le monstre. Il aperçut la traînée claire du serpent géant qui s'enfonçait dans l'obscurité, sous l'île qui trembla de nouveau. Et tout à coup, il comprit : le reptile y avait creusé sa tanière, provoquant ainsi les terribles secousses qui déstabilisaient l'île.

Queue-Tranchée rugit. De toute sa rage, il appelait le monstre au combat. Il lui ferait son affaire. Mais alors, dans un jaillissement, la créature bondit hors

de l'eau et s'élança la gueule grande ouverte sur le Dragon, le cueillant par surprise.

Ombrage fit levier avec Poison sous la colonne qui était tombé sur lui, et se libéra. Il trouva la main tremblante de Spica qui essayait de l'aider. Il toussa et se releva. Le sang coulait de son arcade sourcilière, souillant son visage.

Un serpent gisait près de la jeune Elfe, une flèche plantée dans le corps.

Spica lui parut pâle. Ombrage se rendit compte que l'épaule de son amie, au point faible de la cuirasse de cuir, était maculée de sang. Elle portait la marque d'une morsure.

– Tu es blessée !

– Ce n'est rien, le rassura Spica. Je pensais que l'effondrement t'avait tué !

– J'ai eu de la chance, murmura Ombrage. Mais… il faut que je te bande l'épaule, tu perds beaucoup de sang !

– Nous n'avons pas le temps, ce n'est qu'une égratignure. Regarde ! Les pierres ont écrasé les serpents.

N'attendons pas qu'il en vienne d'autres, il faut partir ! l'interrompit-elle, en montrant le corridor.

Au-delà des décombres on apercevait ce qui restait de la Salle des Chevaliers.

– Tu as raison, admit le jeune Elfe. Allons, vite !

Altière était parvenue dans la partie basse de la Citadelle. Elle trancha net le corps luisant d'un serpent puis s'arrêta et poussa un cri d'impuissance. Elle était encerclée, et son épée ne suffirait pas. Les serpents continuaient à sortir d'un trou grillagé, probablement relié aux grottes situées sous la Citadelle, et elle n'avait plus de pics fulminants pour les stopper. Elle savait qu'elle ne résisterait pas longtemps, mais personne ne pouvait l'aider.

Si Ombrage n'arrivait pas rapidement à la Salle des Chevaliers, aucun n'en réchapperait. Et même s'il réussissait, la victoire serait amère. Les serpents étaient trop nombreux, et les habitants pétrifiés risquaient de ne pas avoir le temps de réagir.

– Je regrette, j'aurais voulu faire plus, murmura-t-elle pour elle-même tout en décapitant un serpent.

Une lance venant du haut jaillit dans l'obscurité et s'enfonça dans le sol.

— Il n'est pas encore temps de se rendre ! rugit Capenoire en sautant d'un mur écroulé.

— As-tu d'autres pics fulminants ?

— Seulement un. Nous ferons en sorte que cela suffise ! répondit Capenoire en le plantant en terre d'un geste rapide.

L'espace qui les entourait scintilla à la lumière des foudres, et d'autres ombres, derrière les murs, s'éloignèrent en sifflant.

– Cela ne les arrêtera pas longtemps, mais, quoi qu'il en soit, je te remercie mon ami. Je mourrai ici sans amertume, en suivant Ombrage. Tu avais raison à son sujet. En dépit de ses yeux et de ses cheveux verts, il ressemble énormément à son père. Il fera un très bon général des Chevaliers de la Rose.

Puis elle poussa un cri de guerre et replongea dans la bataille en faisant virevolter son épée, tandis que la lance, animée par les mains expertes de Capenoire, dansait dans l'obscurité.

D'un rapide battement d'ailes, Queue-Tranchée s'écarta suffisamment pour éviter d'être mordu. Il rugit et de petites foudres crépitèrent. Durant un instant interminable, le long corps blanchâtre de la créature marine flotta dans les airs, avant de retomber dans l'eau en provoquant une gigantesque vague. Queue-Tranchée décida alors de lancer sa foudre. L'atmosphère devint incandescente, l'eau soulevée fut aussitôt vaporisée. La décharge s'abattit sur le monstre et l'enveloppa.

Queue-Tranchée sut qu'il l'avait touché, pourtant, avant que la mer ne se referme sur sa victime, un long sifflement monta de l'eau. Dans un ultime effort le monstre marin s'enroula sur lui-même et bondit en l'air. Ses mâchoires se refermèrent sur la patte de Queue-Tranchée, et le Dragon se sentit entraîné vers le bas.

Il déploya ses ailes, tentant de résister à cette force, et heurta violemment les rochers côtiers. Il essaya de s'y agripper mais les roches s'effritèrent entre ses griffes. Il perdit l'équilibre et tomba avec le monstre.

Soudain il se retrouva immergé dans un élément qu'il ne connaissait pas. Les sons se firent distordus et lointains. L'air lui manqua. Ses ailes s'agitèrent sans parvenir à se déployer ni à le faire remonter…

25

LE PRIX À PAYER

S pica grimpa sur l'amas de décombres. Une fois au sommet, elle se laissa glisser de l'autre côté. Sous sa poitrine, son cœur battait, affolé.

La douleur à l'épaule se faisait lancinante. Elle sentait son sang s'écouler, chaud et épais sous sa cuirasse de cuir, imprégnant ses habits.

Ombrage l'aida à descendre, et ils pénétrèrent ensemble dans la Salle des Chevaliers, en grande partie écroulée.

Ils avaient réussi, pensa-t-elle, bouleversée. Ils avaient réussi, se répétait-elle, incrédule quand elle vit le Bouclier au centre de la pièce. Elle aurait voulu courir avec Ombrage, mais n'en avait plus la force. Autour d'elle, tout semblait flotter.

– Vas-y, dit-elle à Ombrage alors qu'il essayait de l'entraîner vers les marches. Je reste ici pour surveiller tes arrières, mentit-elle, en s'efforçant de demeurer debout.

Avec son bras blessé, elle n'aurait même pas pu bander son arc.

Ombrage la fixa, puis lui obéit.

– Éponge ta blessure, répondit-il en lui tendant un morceau d'étoffe arraché à sa tunique.

Ensuite, il se dirigea vers les marches qui montaient vers le Bouclier.

Spica saisit le tissu et acquiesça en serrant les lèvres. Prise par un vertige soudain, elle s'appuya sur un des bancs de pierre et glissa à terre. Ses yeux se remplirent de larmes. Elle n'avait jamais été blessée ainsi. La douleur était insupportable. Une grande peur la saisit à l'estomac.

Haletante, la jeune Elfe vit Ombrage qui s'approchait des marches et… oh non ! Deux serpents rampaient vers lui ! Elle essaya de crier pour le prévenir, mais n'entendit qu'à peine le son de sa propre voix. Elle vit le reflet de Poison briller dans la pénombre. Elle vit le jeune Elfe qui montait jusqu'au bouclier, qui sortait le fragment caché sous sa cotte de mailles.

Ce fut la dernière chose qu'elle vit. Sous les larmes, tout devint flou et s'assombrit. Une obscurité froide comme la nuit fondit sur elle.

Queue-Tranchée fut englouti dans l'eau salée. Terrorisé et fou de colère, il luttait pour se libérer. Il planta ses griffes dans le corps de l'ennemi qui, à son tour, s'enroula autour de lui pour l'étouffer. Les deux créatures, le serpent de mer et le Dragon des airs, s'enserrèrent l'une l'autre.

Queue-Tranchée poussa un rugissement rageur, et son souffle se transforma en une nuée de bulles ardentes qui montèrent à la surface.

Il enfonça encore plus profondément ses griffes, et le monstre frémit, relâchant quelque peu sa prise.

Le serpent détacha ses crocs de la patte, et, pour tenter de se libérer, lança sa longue queue, effilée comme un rasoir. Une douleur fulgurante saisit Queue-Tranchée : la membrane qui recouvrait l'aile du Dragon fut lacérée, comme une voile de navire arrachée par la tempête.

Alors le Dragon comprit qu'il n'en réchapperait pas. Il n'était pas dans son monde. Il n'avait jamais combattu dans un tel élément… il ne s'était jamais trouvé dans la mer. Il n'y avait aucun son. L'eau était froide comme une lame. Ici, sa bravoure ne lui suffirait pas pour survivre. Il ne pouvait même pas utiliser sa meilleure arme, la foudre.

Mais Ombrage lui avait fait confiance. Il l'avait envoyé combattre… et le Dragon ne pouvait décevoir son cavalier. S'il disparaissait, entraîné dans les profondeurs par ce monstre, tout serait irrémédiablement perdu… il ne le permettrait pas. Puisqu'il ne pouvait pas foudroyer le serpent, il le mordrait jusqu'à déchirer son corps. Si le Dragon devait mourir et s'abîmer dans les profondeurs de la mer, alors il emmènerait le serpent pour qu'il périsse avec lui.

Avec un rugissement rageur, il déploya le cou et enfonça plusieurs fois ses dents dans le corps visqueux du monstre.

L'eau se fit dense et opaque. Le sang de son ennemi se mêla au sien. Enserrée par les mâchoires du Dragon, la créature marine se tortilla, essaya de fuir… mais il était trop tard. Le long corps fut secoué par un tremblement désordonné, puis dans un râle, s'immobilisa à jamais.

Ombrage avançait le plus vite possible vers le Bouclier. Il enjambait les bancs de pierre et les décombres de la Salle des Chevaliers avec une énergie dont il ne se croyait plus capable.

Spica était blessée, et son état nécessitait des soins. Queue-Tranchée luttait seul contre un monstre marin. Les Elfes Noirs combattaient pour lui et pour tous les habitants pétrifiés de l'île des Chevaliers.

Il devait sauver ces gens, et aussi son père qui était enfermé, très loin, dans la même prison de pierre.

Les mains écorchées, couvertes de son sang et de celui de Spica, Ombrage gravit les dernières marches qui le séparaient du Bouclier des Chevaliers. Il saisit le fragment qu'il conservait sous sa cotte de mailles et le contempla.

Le pétale de rose sculpté en bas-relief scintilla sous

la lumière qui émanait de son front. De toute son âme, Ombrage espéra que ce fragment briserait le sortilège de la Reine Noire.

Mais ensuite, sa mission ne serait pas terminée. Floridiana lui avait demandé de refonder l'ordre des Chevaliers de la Rose, en honorant la mémoire des justes. Les Sorcières n'avaient pas été totalement vaincues, le monde avait encore besoin des Chevaliers et des Fées, d'un être qui unisse tous les peuples du royaume de la Fantaisie. Il sentit son cœur se serrer. Pour lui, une nouvelle vie commencerait alors.

Le jeune Elfe serra les doigts autour de la pierre sculptée et la posa sur le Bouclier en la faisant glisser à sa place.

Pendant un long moment il ne se passa rien. Comme si le monde s'était cristallisé.

Tout à coup, sous sa main, il sentit le fragment du Bouclier devenir chaud et ardent, telle une flamme vive. Un subtil voile d'argent, comme une gelée blanche, recouvrit la rose. Puis tout l'espace s'emplit de lumière.

Altière s'élança et trancha net les têtes de deux serpents. Capenoire manœuvra rapidement la pointe de sa lance, et en frappa deux autres, mais un troisième le mordit à la cuisse.

L'Elfe hurla de douleur. Il se retourna brusquement et enfonça sa lance dans le cou de la créature. Mais les serpents étaient trop nombreux. Altière et Capenoire étaient encerclés. Il ne leur restait plus qu'à résister... le plus longtemps possible.

Mais, tandis que d'autres gueules avides s'ouvraient devant eux, une soudaine lumière déchira l'obscurité. Les écailles argentées des serpents semblèrent prendre feu.

Les yeux d'Altière et de Capenoire se croisèrent, stupéfaits et pleins de larmes.

Ombrage avait réussi !

Ombrage fut frappé par une lumière chaude qui s'éleva du Bouclier.

Floridiana apparut devant lui.

– *J'étais certaine que tu mènerais à bien ta mission, mon valeureux chevalier. Et maintenant tu as compris pourquoi personne, pas même moi, ne pouvait te guider. Un chevalier doit choisir, et ses choix doivent tracer un chemin qui unit et non qui divise. Un chemin pour comprendre et non pour détruire. Le chevalier suit le*

fil de lumière de son âme, et non le fil de son épée.
Maintenant que tu sais qui tu es, que tu sais la valeur
de ta vie et que tu connais la peur, es-tu prêt à accomplir
ton destin ?

La Reine de Fées lui prit les mains. Ombrage sentit
l'étoile de son front devenir incandescente.

– *Sur ce bouclier de granit, où brillent les pétales*
d'une Rose d'Argent, continua Floridiana de sa voix
limpide, *que soit constitué cette nuit même un nouvel*
ordre des chevaliers. Un ordre qui s'appuie sur la force
d'âme, la loyauté et l'honnêteté dans la reconnaissance
de ses propres faiblesses. Un ordre qui se fonde sur le
passé, qui affronte le présent, et qui construira le futur,
jour après jour ! Il aura pour nom
l'ordre des Chevaliers de la Rose
d'Argent, et tu le bâtiras ! Sois
fort, et ne crains pas les jours à
venir, Ombrage. Un nouveau
royaume de la Fantaisie est en
train de naître sur les ruines
de l'ancien. Maintenant, va. Il
ne te reste que peu de temps,
murmura-t-elle en lui lâchant
les mains, avant de disparaître.

La clarté s'évanouit. Ombrage tituba. Un bref instant, il eut la sensation que l'Anneau de Lumière gelait chacun de ses muscles.

Puis, comme une vague violente dans ce silence irréel, lui parvinrent les clameurs de confusion et de douleur des dizaines, des centaines, des milliers d'habitants de l'île des Chevaliers… Ombrage prit une profonde inspiration, et il lui sembla que cette terre antique recommençait à respirer avec lui.

Dans la salle, l'obscurité de la nuit était retombée. Seul le Bouclier, avec sa rose recomposée, resplendissait de sa propre lumière, imprégné par la magie de Floridiana.

Étourdi, comme si lui aussi venait de se réveiller d'un sommeil de pierre, le jeune Elfe vacilla et faillit perdre l'équilibre. Il se sentait fier, plein de force, de bonheur, d'espérance… mais soudain les paroles de Floridiana rejaillirent dans son esprit.

« Il ne te reste que peu de temps. »

Peu de temps pour quoi ?

Il se frotta les yeux et réalisa qu'il manquait quelque chose.

Ou plutôt *quelqu'un*.

– Spica, appela-t-il.

Sa voix brisée résonna dans la quiétude de la Salle des Chevaliers. Il l'appela encore, mais elle ne répondit pas.

Mû par un pressentiment terrible, il se retourna, la chercha parmi les décombres, et finalement il la vit. Le silence parut se dilater, se répandre comme le sang qui coulait de la blessure de la jeune Elfe.

Et l'espérance abandonna le cœur d'Ombrage.

26
LA DANSE DES ONDES

Les eaux des Mers Orientales, sombres, noires comme un ciel de tempête, s'étaient refermées autour de Queue-Tranchée. L'eau était lourde, dense… elle s'insinuait partout, dans ses yeux, ses oreilles, ses narines, sa gorge. Le Dragon avait beau lutter, elle avait le dessus.

Queue-Tranchée tombait. Il ne parvenait pas à comprendre vers où il tombait. Il ne pouvait voler. L'air emmagasiné dans ses vastes poumons lui échappait. Il n'y avait pas de poissons, et même pas la lumière de la lune pour le guider. Rien que de l'eau. Queue-Tranchée regarda le corps du serpent blanc qui disparaissait sous lui, englouti par la noirceur de la mer.

Il avait froid. Il était seul.

Il avait tué le serpent. Il avait sauvé l'île des Chevaliers ainsi qu'Ombrage, mais ses yeux ne verraient pas la fin de l'aventure. La mer l'aspirait dans ses tourbillons silencieux, l'attirant vers des fonds sombres comme un ciel sans étoiles.

Était-ce cela la mort ?

Mais soudain les courants les plus profonds de la mer se mirent à vibrer. Queue-Tranchée entendit un son lent et doux, comme celui d'un fleuve placide.

Quelque chose effleura le Dragon et le soutint, tel un souffle d'air. D'instinct, Queue-Tranchée ouvrit les ailes, cherchant le vent, et l'eau bouillonna autour de lui. Il eut peur, tenta de trouver une prise, mais encore une fois ses griffes se refermèrent sur l'eau. Puis il se sentit poussé vers le haut et distingua une voix qu'il avait déjà entendue. La voix de celle qui, un jour, avait surgi de l'écume devant Ombrage. Elle avait dit qu'elle s'appelait Maréa et qu'elle était la Fée protectrice de cette mer dangereuse et sombre. À présent, Queue-Tranchée entendait cette même voix profonde, qui riait et chassait l'obscurité.

– Ouvre tes ailes, disait-elle. Ouvre tes ailes et mes amies les vagues danseront pour toi. Elles te ramèneront à la surface ! Je te dois ma liberté, tu as vaincu le serpent marin laissé ici par les Sorcières. Cette créature étouffait ces eaux, et menaçait les navigateurs les plus habiles et courageux. Tu m'as rendu la mer, et je te dois une infinie gratitude !

Un sentiment de sérénité se diffusa dans les membres fatigués de Queue-Tranchée, chassant la

douleur des blessures et la tristesse d'être séparé d'Ombrage.

La Fée continua :

– N'aie pas peur ! Mes vagues te reconduiront dans ton monde, à l'air libre sous les rayons du soleil… elles te soutiendront comme dans un ciel limpide ! Retourne vers ton cavalier et porte-lui le salut de Maréa. Remercie-le d'avoir tenu parole et dis-lui qu'il pourra m'appeler chaque fois qu'il aura besoin de moi. Les Mers Orientales seront à nouveau habitées par mille espèces de poissons, d'algues et de créatures enchantées. Les vagues caresseront les plages de l'île. Elles réjouiront les âmes des chevaliers de leurs joyeuses symphonies. Que mes eaux te rendent ton univers, merveilleuse créature, comme tu m'as rendu le mien…

Et tandis que la Fée parlait, Queue-Tranchée se sentit soulevé par les eaux.

Il essayait de comprendre d'où venait cette voix. Il scruta le fond de la mer, dans le noir le plus noir, et, avant que les ondes ne le ramènent à la surface, il eut l'impression d'apercevoir Maréa qui dansait, joyeuse parmi d'autres créatures enchantées.

Puis la voix s'assourdit et s'éteignit. Le froid diminuait et l'eau s'allégeait. Le Dragon tendit le cou, et enfin ses narines rencontrèrent à nouveau la surface. Au prix d'un effort gigantesque, Queue-Tranchée leva les yeux et vit les étoiles. Il sentait l'air dans ses poumons, les vagues contre son corps. Alors, il émit un sifflement grave et ému qui exprimait toute sa reconnaissance.

À la surface de la mer scintillante, la danse des vagues de Maréa le soutenait et le menait vers la rive. Il n'avait besoin de rien faire si ce n'est de s'abandonner aux courants qui le conduisaient là où la Fée voulait qu'il soit conduit.

À ce moment, un éclair éblouissant déchira l'obscurité et illumina le ciel et la mer.

L'île des Chevaliers apparut soudain, enveloppée d'une clarté resplendissante. L'eau scintilla comme parsemée d'écailles luisantes. Fasciné par cet extraordinaire spectacle, Queue-Tranchée entendit un son qu'il connaissait bien.

Le battement d'un cœur.

Celui d'Ombrage.

À présent, il ne restait plus au Dragon qu'à le retrouver.

La joie et l'espérance l'envahirent. Mais, une fois la lumière disparue, Queue-Tranchée se rendit compte qu'il était épuisé et blessé, que l'eau et le serpent marin l'avaient vidé de ses forces. Il se sentit désespérément loin de son cavalier et de l'île. Comment pourrait-il rejoindre Ombrage ?

Les vagues étaient si lentes… il ne parviendrait peut-être jamais à destination…

27
RENAISSANCE

La lumière s'étendit comme un cercle s'élargissant sur l'eau, et soudain les serpents qui attaquaient Capenoire et Altière s'arrêtèrent. Le silence s'imprégna de magie, et la magie enveloppa toute chose : les murs des maisons en ruines, les habitants pétrifiés, les Elfes Noirs blessés et ceux qui combattaient encore.

La lumière passa comme une onde qui fit s'évanouir les ennemis dans un nuage jaunâtre. Les squelettes nus de ces serpents, que les Sorcières avaient laissés là pour surveiller l'île des Chevaliers, s'affaissèrent au sol, vidés du sortilège maléfique qui leur donnait vie. Du Bouclier, sur lequel le troisième fragment avait été remis en place, avait jailli une magie si puissante qu'elle avait anéanti les serpents marins.

Il n'y avait plus besoin de combattre.

Altière entendit le son cristallin d'une épée qui tombait à terre.

Ce n'était pas la sienne qu'elle empoignait solidement.

C'était l'épée de l'Elfe pétrifié qui se trouvait à côté d'elle : un Elfe nommé Courage.

Avant qu'Altière comprenne ce qui se passait, la statue imposante de l'Elfe Rouge tomba dans ses bras. Elle la soutint et vit alors la poitrine de Courage se lever et s'abaisser au rythme d'une respiration... Elle crut rêver.

Ombrage avait réussi : le nouveau Général Suprême des Chevaliers les avait tous sauvés.

Tous.

– Non... murmura Ombrage, le souffle coupé.

Le jeune Elfe s'agenouilla auprès de Spica, parmi les pierres et les colonnes brisées. Submergé par la douleur, il la prit dans ses bras, essayant désespérément d'endiguer le sang qui s'échappait de sa blessure. Le sang était partout. Il trempait ses vêtements, sa cotte de cuir, et s'était répandu à terre en une flaque sombre et épaisse.

La jeune Elfe, d'une pâleur extrême, les yeux fermés, paraissait plongée dans un profond sommeil.

Seul un léger sourire fronçait ses lèvres. Comme si elle était certaine que tout irait bien. Les larmes qui avaient coulé sur ses joues perlaient encore entre ses cils comme autant d'éclats de cristal sous la lumière du Bouclier des Chevaliers.

« Il ne te reste que peu de temps », avait dit Floridiana, et maintenant Ombrage comprenait. Il ne savait que faire. Il se sentait prisonnier d'un cauchemar. Pourquoi la magie n'avait-elle pas sauvé Spica ? Pourquoi n'ouvrait-elle pas les yeux ?

Il se pencha sur le beau visage de la jeune Étoilée, l'entendit respirer, et appuya sa main sur la blessure. Son sang lui parut froid, comme si elle avait déjà abandonné son corps… comme si elle

Cette histoire s'est déroulée il y a très longtemps, avant que les Elfes et les Dragons ne deviennent alliés. C'est l'histoire d'un peuple à la recherche d'un endroit...

Une histoire qui commence durant une nuit obscure...

Les derniers des Elfes Noirs, même s'ils l'ignoraient encore, allaient bientôt trouver...

... une terre qui deviendrait leur foyer.

- LES ORIGINES DES ELFES NOIRS -

Tous ne survécurent pas au naufrage.

Le lendemain matin, [l]eureux s'éveilla sur la plage. [L]e courant l'avait déposé sur le rivage.

Et, comme vous le savez, plusieurs des créatures de cette île étaient plutôt... dangereuses.

Par bonheur, Valeureux était trop adroit et brave pour finir dans les griffes des créatures sauvages qui dominaient l'île, il y a plusieurs siècles.

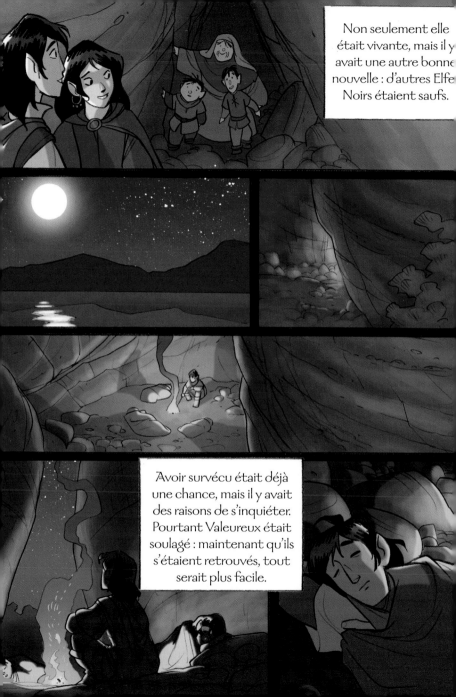

Non seulement elle était vivante, mais il y avait une autre bonne nouvelle : d'autres Elfes Noirs étaient saufs.

Avoir survécu était déjà une chance, mais il y avait des raisons de s'inquiéter. Pourtant Valeureux était soulagé : maintenant qu'ils s'étaient retrouvés, tout serait plus facile.

Le lendemain matin, Valeureux se réveilla tôt.

Il voulait savoir s'il y avait quelqu'un d'autre sur cette île. Quelqu'un qui puisse les aider.

Mais il ne voulait pas qu'Espérance l'accompagne : il risquait de tomber de nouveau sur une de ces créatures sauvages.

Aaah !

Oufff...

Finalement Espérance avait décidé de ne pas séparer de Valeureux : avec lui, elle affrontera tous les dangers, même les plus redoutables.

Tous deux grimpèrent sur la cime d'une montagne d'où ils pouvaient voir l'île tout entière.
Ils ne savaient pas encore...

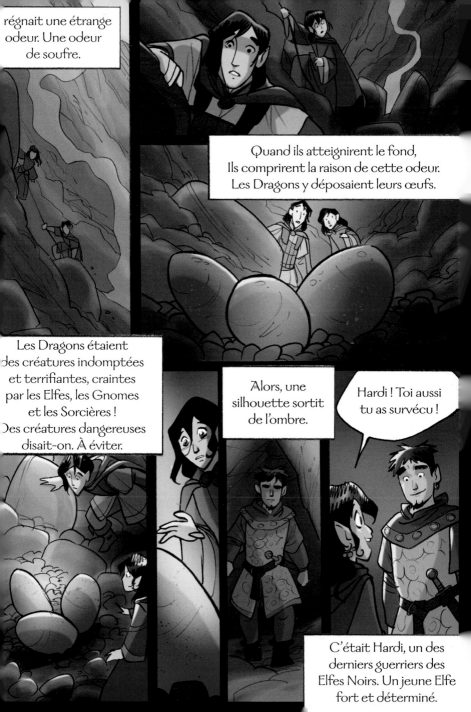

régnait une étrange odeur. Une odeur de soufre.

Quand ils atteignirent le fond,
Ils comprirent la raison de cette odeur.
Les Dragons y déposaient leurs œufs.

Les Dragons étaient des créatures indomptées et terrifiantes, craintes par les Elfes, les Gnomes et les Sorcières ! Des créatures dangereuses disait-on. À éviter.

Alors, une silhouette sortit de l'ombre.

Hardi ! Toi aussi tu as survécu !

C'était Hardi, un des derniers guerriers des Elfes Noirs. Un jeune Elfe fort et déterminé.

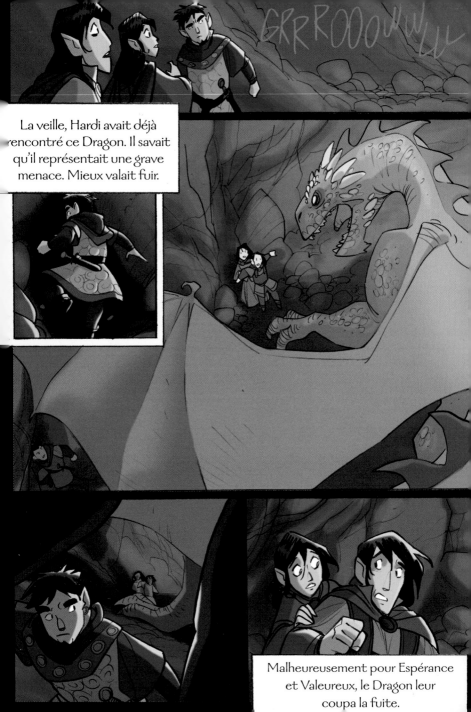

GRRROOOUUULLL

La veille, Hardi avait déjà rencontré ce Dragon. Il savait qu'il représentait une grave menace. Mieux valait fuir.

Malheureusement pour Espérance et Valeureux, le Dragon leur coupa la fuite.

Espérance et Valeureux
ne se rendirent pas,
et ils luttèrent de toutes
leurs forces.

Comme Hardi, Valeureux était lui aussi un guerrier exceptionnel, courageux et à l'âme généreuse.

Hardi avait réussi à s'enfuir. Valeureux devait le retrouver. Hardi était un remarquable guerrier, et à deux ils pourraient sauver Espérance.

Il plongea dans le tunnel sous-marin qui reliait le volcan au lac, et atteignit la surface à l'extérieur de la montagne.

Quand il eut retrouvé
son compagnon,
il comprit la vérité.

Une vérité terrible. Le Dragon était furieux car quelqu'un emmenait ses œufs. C'était Hardi.

Quand Valeureux et Espérance l'avaient retrouvé dans le cratère, Hardi venait de s'emparer d'un œuf pour le détruire.

Pour Hardi, le seul moyen de conserver ses compagnons en vie était de tuer les petits du Dragon.

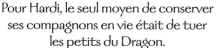

Ce massacre inutile devait cesser. S'il rapport[ait] l'œuf au Dragon, Espéran[ce] serait peut-être sauvée[.]

En tant que guerrier, Hardi était convaincu que c'était la seule solution, et il était prêt à tout pour la mettre en œuvre.

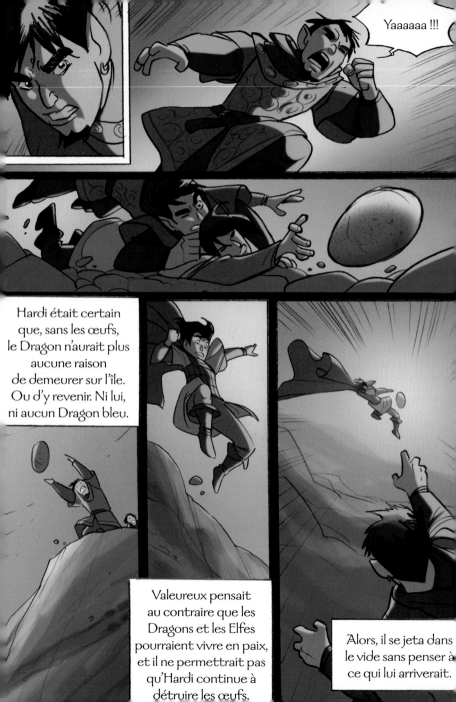

Yaaaaaa !!!

Hardi était certain que, sans les œufs, le Dragon n'aurait plus aucune raison de demeurer sur l'île. Ou d'y revenir. Ni lui, ni aucun Dragon bleu.

Valeureux pensait au contraire que les Dragons et les Elfes pourraient vivre en paix, et il ne permettrait pas qu'Hardi continue à détruire les œufs.

Alors, il se jeta dans le vide sans penser à ce qui lui arriverait.

À ce moment précis, Hardi comprit son erreur. Il avait agi par peur de ce qu'il ne connaissait pas.

À cause de lui, Valeureux était mort. Mort en sauvant l'œuf du Dragon qui retenait Espérance prisonnière.

Il ne pouvait changer ce qui avait eu lieu.

Par contre, il pouvait donner vie aux rêves de paix et de liberté que Valeureux lui avait enseignés par son sacrifice.

Et devant la naissance du bébé Dragon, survint un miracle.

Deux mondes complètement différents s'unirent pour n'en faire qu'un.

Bien des années plus tard, Hardi devint roi des Elfes Noirs, qui s'installèrent définitivement sur l'île.

Il fut le premier à chevaucher un Dragon bleu.

Avec le temps, la relation avec les Dragons se fit de plus en plus étroite.

Espérance devint la première Dresseuse de Dragons.

Mais au fond de leur cœur, le souvenir de Valeureux demeura toujours présent.

... ainsi finit l'histoire d'Espérance et Hardi !

Dites-moi... voulez-vous que je vous révèle un secret ?

Ouiiiii !!!

Voyez-vous ce petit fossile ? C'est un morceau de l'œuf du bébé Dragon !

Oooooooh !

Tout en raccompagnant Ombrage et Spica, Altière repense aux héros de l'histoire qu'elle vient de raconter.

Ombrage et Spica ressemblent beaucoup
à Valeureux et Espérance. Grâce à des Elfes
aussi nobles et purs, l'île de la Lune Montante
était devenue leur foyer.

l'avait abandonné, lui, parmi les décombres de l'île des Chevaliers.

Chassant le sentiment de désespoir et l'envie de hurler, Ombrage posa la main sur le front de la jeune Elfe. Il écarta délicatement sa chevelure blonde, pleine de poussière et souillée par le sang : l'étoile de son amie était presque éteinte.

– Non ! souffla-t-il encore dans cette obscurité oppressante. Résiste, Spica ! Tu dois résister ! Ne te rends pas… tu ne peux pas. Tu ne dois pas…

Elle ne lui avait pas dit qu'elle était aussi gravement blessée. Elle avait voulu qu'il s'occupe du Bouclier et de tous les habitants de l'île, avant de la soigner. Elle avait espéré tenir, mais à présent elle s'en allait, lentement. Et il ne pouvait rien faire ! Il n'avait aucune potion sur lui. Il ne connaissait pas la magie de guérison. Un cri de rage jaillit de sa gorge tandis qu'il serrait Spica dans ses bras, en essayant de la soulever pour l'emmener quelque part…

Mais où ?

Qu'était-il advenu des autres ? Où étaient Queue-Tranchée, Capenoire, Altière ? Où étaient-ils tous ? Pourquoi Floridiana n'était-elle pas restée pour aider Spica ?

Il appela, mais personne ne répondit.

Alors il se remit à parler, comme s'il ne supportait pas le silence de ce lieu.

– Spica, réponds-moi ! Allez, réveille-toi ! Tu ne peux pas m'abandonner. J'ai besoin de toi… supplia-t-il, la voix brisée. Nous devrons aider ces gens à tout reconstruire, et je ne peux pas le faire sans toi ! Allez, reviens-moi !

À ce moment précis, plusieurs voix résonnèrent dans les couloirs.

Ombrage crut entendre prononcer son nom. Il leva brusquement la tête et cria :

– Vite ! Ici ! Nous sommes ici !

Altière apparut parmi les décombres, accompagnée par d'autres Elfes, mais il ne prit pas le temps de les regarder. Il ne pensait qu'à elle.

Altière vit le sang. Elle vit l'espérance obscurcie sur le visage d'Ombrage, comme le soleil derrière le brouillard.

– Elle respire encore ! Je t'en supplie, dis-moi que tu peux faire quelque chose… Dis-moi que tu as un flacon de Potion des Fées ! l'implora le jeune Elfe en la fixant dans les yeux.

Il n'eut pas besoin d'en dire plus. Altière acquiesça et se pencha sur Spica. Elle déplaça la main d'Ombrage, arracha les restes d'étoffe lacérée par les dents des serpents, déboucha la fiole, et en versa le contenu sur la plaie ouverte.

– Cramponne-toi à la vie, créature ! chuchota Altière.

Ombrage serrait ses doigts ensanglantés sur les mains froides de Spica. Le jeune chevalier connaissait la puissance de cette potion, mais, l'espace d'un instant, il craignit qu'elle ne soit inefficace, qu'il ne soit trop tard… puis soudain, au front de la jeune Elfe, l'étoile trembla et brilla faiblement.

Les lèvres de son amie tressaillirent et Ombrage vit ses superbes yeux bleus s'entrouvrir.

– L'île… souffla-t-elle avec peine.

– Sois tranquille, le Bouclier est reconstitué. À présent tout ira bien. Je te sauverai, murmura-t-il.

– Dors maintenant, dit Altière. Seul le repos te rendra tes forces.

Spica leva la tête avec un frémissement de douleur, et adressa un sourire à Ombrage qui lui serra les doigts dans les siens. Puis elle ferma les yeux et s'endormit.

– Il était temps, dit une voix qu'Ombrage ne connaissait pas.

Il se retourna et croisa le regard d'un très grand Elfe aux cheveux et à la barbe rouge feu.

– Elle avait perdu beaucoup de sang, reprit-il.

Altière posa la main sur l'épaule d'Ombrage.

– Confie-la-moi, n'aie aucune crainte. Spica sera entre de bonnes mains.

Ombrage se releva, et, titubant, regarda autour de lui. Il s'aperçut alors que l'île tout entière résonnait de cris de joie. Les habitants, réveillés de leur sommeil de pierre, rejoignaient la Salle des Chevaliers. Ils déferlaient comme une marée, et demeuraient là, à observer le Bouclier de la Rose d'Argent qui luisait dans la nuit, telle une étoile.

Dans cette joyeuse confusion, Ombrage crut entendre un battement d'ailes.

– Queue-Tranchée ! murmura-t-il, bouleversé.

Il se retourna, s'attendant à voir apparaître son ami Dragon, mais soudain il se souvint qu'il l'avait envoyé combattre le monstre marin, et il sentit un poids sur sa gorge. Il lui sembla que l'obscurité de cette nuit n'aurait pas de fin.

La voix de Capenoire interrompit le brouhaha qui régnait dans la salle. Debout sur un mur en ruines, ses blessures bandées par le savoir-faire de plusieurs chevaliers, l'Elfe Noir se tourna vers Ombrage et lui fit signe. Le jeune Elfe, qui scrutait la mer depuis une tourelle, espérant voir arriver Queue-Tranchée, le rejoignit.

Les Dragons bleus, eux aussi sortis de leur sommeil de pierre, étaient partis voler en haute mer pour retrouver la trace de Queue-Tranchée, jusqu'à présent en vain. Il faisait nuit, et les nombreux rochers ne facilitaient pas les recherches.

Le visage tendu, Ombrage s'approcha de Capenoire :

– Je n'aurais jamais dû l'envoyer combattre tout seul.

– Tu ne pouvais pas faire autrement, le consola Capenoire. Mais tais-toi, écoute.

Ombrage ferma les yeux et écouta.

Il entendit le bruit des vagues qui frappaient les côtes rocheuses, le vent qui balayait l'île... et le son de quelque chose qui grattait la roche.

– Des griffes, mur-
mura-t-il stupéfait.

Le cœur d'Om-
brage bondit dans
sa poitrine. Il
s'élança vers la
mer, oubliant
la douleur et la
fatigue.

– Queue-Tran-
chée ! cria-t-il.

Un halètement dou-
loureux lui répondit.

Au fur et à mesure qu'il descendait vers la côte, le bruit des
griffes se faisait plus proche. Puis
il vit deux yeux jaunes qui le scrutaient
dans l'obscurité.

Avec un soupir de soulagement, il embrassa le gros
museau.

– Mon ami, pourquoi ne voles-tu pas ? Que t'est-il
arrivé ?

Le Dragon émit un sifflement et se frotta contre
Ombrage.

– Je savais que tu le vaincrais, mais j'ai craint que tu ne reviennes pas. J'ai grand besoin de toi, le sais-tu ?

Queue-Tranchée s'ébroua. Il aurait voulu expliquer au jeune Elfe qu'il avait fait tout son possible pour le rejoindre, mais qu'il avait eu besoin du soutien de quelqu'un de très important… Il ouvrit son aile déchirée pour entourer son cavalier, et ce mouvement lui arracha une plainte.

Plusieurs Elfes les rejoignirent. Bercé par la voix d'Ombrage, Queue-Tranchée se laissa toucher par leurs mains expertes.

Ombrage sourit et répondit aux questions muettes de son ami :

– Tout ira bien à présent. L'île est revenue à la vie, Spica guérira vite, et toi, tu recommenceras à voler, j'en suis sûr.

– Oui, sois tranquille, confirma un des Elfes d'un ton joyeux, nous allons soigner tes blessures. Tu es jeune, ton aile cicatrisera très bien si nous la recousons rapidement. Si tu promets de ne pas bouger, je m'en occupe tout de suite…

Queue-Tranchée s'ébroua fièrement, et Ombrage éclata de rire :

– Il le promet. Dans le cas contraire, il aura affaire à moi !

– Alors je vais demander qu'on m'apporte une aiguille et du fil, conclut l'Elfe.

Ombrage se sentait si fatigué qu'il resta là, aux côtés de son ami. C'était tout ce que désirait Queue-Tranchée. Il enfonça son gros museau humide sous le bras de son cavalier, puis leva les yeux vers le ciel.

Ombrage avait l'impression de renaître avec l'île. Bientôt il retrouverait son père ! Une nouvelle vie allait commencer pour le jeune chevalier. Une vie austère, faite de devoirs et de choix difficiles, mais une vie libre, aux côtés de ses amis.

Oui, le monde pouvait changer, pour peu qu'on ait la foi, qu'on lutte ensemble sans jamais renoncer, avec l'espoir au cœur.

C'était ce que voulait Floridiana.

C'était sur cette conviction que l'île des Chevaliers avait pu renaître.

ÉPILOGUE

La corne sonna, et d'autres lui firent écho, résonnant d'un bout à l'autre de l'île des Chevaliers.

Il était tôt. Spica, qui remettait de l'ordre dans sa chambre au sein de la vieille Citadelle, sursauta. Cela faisait trois semaines qu'elle était complètement remise de sa blessure à l'épaule, et elle attendait ce jour avec impatience.

Elle sortit, et l'air frais du matin la fit frissonner.

Altière, qui était revenue de l'île de la Lune Montante où elle avait fait un bref séjour pour aider les siens, passa dans le couloir en courant.

Spica essaya de l'arrêter :

– Que se passe-t-il ? Arrivent-ils ?

– Oui ! Trois navires splendides, qui semblent voler sur l'eau ! lança-t-elle, enthousiaste, sans ralentir le pas. Préviens les autres !

Spica sourit et se retourna. De ce côté de la Citadelle, on ne pouvait pas voir la mer, alors elle s'engagea dans le couloir qui menait aux murailles occidentales.

Comme tous les matins, elle trouva Ombrage et Queue-Tranchée sur la tour de garde.

– Tu ne peux pas encore voler, disait Ombrage. Je comprends ton impatience, mais tu dois demeurer au repos jusqu'à ce que ton aile soit complètement guérie.

– Est-ce qu'ils arrivent ? s'exclama-t-elle en posant la main sur les écailles du Dragon.

Ombrage acquiesça en montrant l'horizon. Le Dragon poussa un rugissement rauque et tendit le cou pour scruter la mer.

Le ciel était serein, et dans l'air limpide du jour nouveau, les navires ressemblaient à de petites pierres

de cristal. Sur l'île, il n'y avait pas de Portail des Fées, et le seul moyen d'y accéder était la voie des airs ou de la mer.

Dès que la nouvelle de la victoire d'Ombrage se fut répandue à travers le royaume de la Fantaisie, une gigantesque chaîne de messagers se mit en place, apportant des félicitations et des promesses d'aide. Les Gnomes de Forge s'étaient engagés à mander des maîtres sculpteurs pour décorer les nouvelles maisons qui seraient bâties, et des Elfes de chaque royaume avaient annoncé l'envoi de dons : étoffes, semences, métaux, et tout ce qui pouvait aider l'île à retrouver sa splendeur d'antan. Les Nains Gris, libérés du sortilège qui les avaient retenus prisonniers dans les troncs de la Forêt des Murmures, avaient promis des bois précieux pour confectionner les portes et les fenêtres. À présent, les navires affrétés par Floridiana pour acheminer les matériaux et la main-d'œuvre commençaient à arriver.

Les voiles gonflées par le vent poussaient les navires vers l'île.

– Hier j'ai observé les plans du nouveau phare dessiné par Courage, dit joyeusement Spica. Penses-tu que le rocher qu'il a choisi conviendra ?

– Bien sûr. Le projet a été longuement étudié.

– Et le village, est-ce que tu l'as vu ? Il renaît rapidement.

– Oui, sourit le jeune Elfe. Même les Dragons participent à la reconstruction.

Queue-Tranchée poussa un grognement irrité, et Ombrage eut un petit rire amusé.

– Toi aussi, tu as aidé comme tu as pu. Ce n'est pas ta faute si tes blessures guérissent lentement !

Queue-Tranchée jeta un coup d'œil sur un gros Dragon bleu qui déplaçait des blocs pesants vers le port pour en faire des brise-lames, afin de protéger l'île des vagues les plus violentes. Il soupira comme s'il se sentait inutile.

Spica lui murmura :

– Je sais que ce n'est pas facile de rester inactif quand tout le monde travaille, mais un peu de repos te permettra de guérir parfaitement et… en attendant, tu seras servi comme un roi !

Queue-Tranchée pencha la tête de côté comme s'il ne comprenait pas ce qu'il y avait d'enthousiasmant à cela.

– L'idée de se faire servir ne lui plaît pas, traduisit Ombrage.

– Oui, il est tout à fait comme son cavalier. Quand il ne bouge pas, il se sent inutile, n'est-ce pas ?

Ombrage rougit.

– Tu as raison, admit-il.

Puis il changea de sujet :

– J'ai su que tu avais parlé avec Altière.

– Oui, confirma Spica. Pendant que j'étais au lit pour me remettre de ma blessure, j'ai souvent repensé à la naissance d'Ailedargent, et j'ai décidé de devenir Dresseuse de Dragons. Altière m'a promis que, dès que tout serait remis en place, nous commencerions à travailler ensemble !

– Je pense qu'elle sera une enseignante à la fois sévère et juste. Mais qu'en pensera ton père ? Voir son enfant devenir chevalier, ce n'est pas toujours bien…

À l'évocation de son père, Spica sentit une bouffée de nostalgie.

– Dans la lettre où il m'annonçait son arrivée, il ne semblait pas préoccupé. Je crois qu'il comprendra. Et toi ? Que dira ton père à propos de ton avenir ?

– Je n'en sais rien, soupira Ombrage.

Spica sourit et fixa ses yeux bleus sur les navires qui approchaient.

– Ne t'en fais donc pas, grosse bête ! Tout ira bien !
ajouta-t-elle.

Elle lui prit la main et éclata de rire, plus heureuse
que jamais.

Les navires jetèrent l'ancre le soir même et les
chaloupes élancées touchèrent terre avant que la nuit
tombe. L'île des Chevaliers accueillait ses premiers
invités depuis très longtemps.

En cherchant son père parmi les voyageurs qui

débarquaient, Ombrage aperçut quelqu'un qu'il n'attendait pas. Son cœur fit un bond et il courut embrasser Regulus qui essayait de descendre de la barque sans tomber à l'eau.

– Regulus ! cria-t-il. Que fais-tu là ? Je ne pensais pas que tu arriverais avec les premiers navires !

– Et pourquoi donc ? Quand les amis ont besoin de vous, il faut accourir ! répliqua l'Elfe d'un ton joyeux. N'est-ce pas, Robinia ?

– Bien sûr ! sourit la jeune Elfe des Forêts, en sautant hors de l'embarcation tandis que Soufretin pointait son museau derrière elle.

À ce moment, Spica arriva, tenant son père Eridanus par la main. Elle bondit dans les bras de Robinia, riant et pleurant en même temps.

– Vous êtes tous là… Oh, c'est merveilleux ! Pourquoi n'avons-nous pas été avertis que nous allions accueillir une reine ? ajouta-t-elle.

Elle se mordit immédiatement les lèvres, se souvenant à quel point ce sujet était délicat pour Robinia.

Mais l'Elfe des Forêts éclata d'un petit rire.

– Parce que je ne suis plus reine ; il n'y avait donc pas lieu d'annoncer une visite officielle !

Queue-Tranchée s'ébroua, faisant la fête à Soufretin.

Eridanus serra vigoureusement la main d'Ombrage et acheva d'expliquer ce que Robinia avait laissé en suspens.

– Le royaume des Forêts a choisi son nouveau roi dans la Clairière des Treize Arbres Sages, comme le veut notre tradition.

– … ce qui a permis à Robinia de se consacrer pleinement à sa passion pour les élixirs de beauté, ajouta Regulus en faisant la grimace.

– Il s'agit de potions médicinales, et elles sont excellentes pour la santé ! protesta-t-elle en croisant les bras.

« Tout est redevenu comme avant », pensa Ombrage, tandis que les amis bavardaient gaiement. Les colis furent déchargés, puis les chaloupes reprirent la mer pour rejoindre les navires et ramener d'autres passagers et d'autres dons. La magie des Fées habitait de nouveau ce lieu, et Ombrage veillerait à ce qu'il en soit toujours ainsi. Les Elfes Noirs vinrent faire connaissance avec les arrivants et bientôt, il en était certain, grâce à la participation de tous, cette terre resplendirait comme autrefois.

Des anciens et des nouveaux amis, de la rencontre entre le Passé et le Présent naîtrait le Futur de l'île.

– Devine qui nous a accompagnés jusqu'ici ? lui

lança Regulus, le sortant de ses réflexions. Étincelle !
Elle a obtenu une dérogation de l'école des mages
pour venir vous aider. Il y a aussi Stellarius et Cœurtenace : ils ont passé la moitié du voyage à discuter de
sujets très compliqués…

Entendant le nom de son père, Ombrage scruta la
mer. À la proue d'une des chaloupes qui faisaient la
navette entre le rivage et les navires, un Elfe aux yeux
sombres regardait droit devant lui.

« Mon père ! », pensa Ombrage le cœur battant.

Juste à ce moment, tandis que la barque touchait
terre, Cœurtenace se
retourna et croisa son
regard. Le regard de
son fils, ces yeux vert
foncé qu'il avait héri-
tés de sa mère.

Le père et le fils
se fixèrent quelques
instants, se rappro-
chèrent, incrédules,
puis s'embrassèrent et
demeurèrent ainsi un
long moment, dans ce

port à moitié détruit, tandis que toute l'île les regardait, émue.

– Cette histoire devait se terminer ainsi, soupira Regulus.

– Tu as absolument raison, jeune Elfe ! s'exclama gaiement Stellarius.

– À présent, intervint Étincelle, l'un de vous daignerait-il nous raconter en détail ce qui s'est passé ? Floridiana n'a rien voulu nous révéler, et nous brûlons tous de curiosité !

Ainsi, tandis qu'Ombrage conduisait son père à la rencontre de son frère Capenoire, Spica accompagna les invités et les amis à la Citadelle, en commençant à raconter, comme elle seule savait le faire.

À partir de ce jour, la vie s'écoula sur l'île dans la joie et la sérénité. Queue-Tranchée se remit de ses blessures, et durant de longues années, plana fièrement dans le ciel bleu. Le petit Ailedargent grandit rapidement, et Spica devint sa Dresseuse sous le contrôle attentif d'Altière.

De superbes maisons furent construites, la Citadelle retrouva sa splendeur, les fontaines se remirent à gargouiller et bientôt chevaliers et Dragons reprirent leur place au royaume de la Fantaisie, prêts à aider ceux qui en avaient besoin.

Ombrage devint Général Suprême des Chevaliers de la Rose d'Argent, soutenu par l'affection de Spica et de son père, Cœurtenace. Regulus et Robinia s'installèrent sur l'île, avec Eridanus. Ils prirent en charge la reconstruction de la grande bibliothèque, ainsi que l'édification d'un observatoire astronomique et la réalisation d'un jardin d'herbes médicinales. Ensemble, ils vécurent beaucoup d'autres aventures, et leurs enfants et petits-enfants encore bien plus, mais ce n'est pas le lieu de les narrer.

Les Elfes Noirs rejoignirent leur chère île de la Lune Montante où ils avaient toujours habité, et, encore aujourd'hui, peu de gens connaissent l'histoire de ce peuple discret.

Le moment est venu de vous saluer. Cette histoire est parvenue à son terme.

Racontez-la à votre tour, comme je vous l'ai racontée. Que vous soyez des conteurs capables d'enchanter l'auditoire, ou de simples lecteurs avides d'aventures, je vous souhaite de garder toujours la Fantaisie au fond du cœur !

« *Nous voici parvenus au terme de notre histoire.*
Le Bien a triomphé, le Mal fera encore parler de lui,
mais l'espérance vivra toujours
au royaume de la Fantaisie
tant que les Elfes courageux, les Nains, les Gnomes,
et toutes les créatures lutteront aux côtés
des fiers chevaliers et des bonnes Fées.
D'autres aventures seront vécues dans un futur
qu'il ne nous est pas donné de connaître.
Peut-être devrez-vous empoigner votre arc
et courir sur les murailles de la Justice
pour défendre la Liberté et la Joie.
En attendant, chantez comme les Elfes Étoilés,
rugissez comme les Dragons libres,
travaillez comme les Elfes des Forêts
et combattez comme les Elfes Noirs !
Car le royaume de la Fantaisie est vivant,
et il vivra longtemps encore.
Tant que vous ne renoncerez pas à lutter,
le Bien s'épanouira et le Mal s'éloignera ! »

Mage Fabulus, *Chroniques du royaume
de la Fantaisie*, conclusion du Livre Sixième.

TABLE

ACCÈS SECRET À LA
VOIE DU DRAGON

LAC
SALÉ

CRATÈRE
SEPTENTRIONAL

VENTRE
DE L'ÎLE